LES AUTRES

GEORGES SIMENON

LES AUTRES

roman

PRESSES DE LA CITÉ

CHAPITRE PREMIER

Dimanche, 5 novembre

L'ONCLE ANTOINE EST mort mardi, la veille de la Toussaint, vers onze heures du soir vraisemblablement. La même nuit, Colette a tenté de se jeter par la fenêtre.

A peu près dans le même temps, on apprenait qu'Édouard était revenu et que plusieurs personnes l'avaient aperçu en ville.

Tout cela a créé des remous dans la famille qu'on a vue hier, à l'enterrement, pour la première fois au complet depuis des années.

Ce soir, dimanche, il pleut à nouveau. Des rafales secouent les volets, font vibrer les vitres et l'eau coule intarissablement dans la gouttière qui descend à un mètre de ma fenêtre. Dans le jardin public entouré de grilles qu'on appelle le Jardin Botanique, les arbres se courbent et des branches cassées, dans les allées, se mêlent aux feuilles mortes.

De temps en temps, une auto passe sur notre boulevard, soulevant des gerbes d'eau sale, mais il n'y a pas un seul piéton. En écartant le rideau, je peux voir l'urinoir, juste sous mes fenêtres, contre la grille. Au-delà du parc, j'aperçois le haut des colonnes et le toit du Palais de Justice et plus loin, dans la lueur orangée qui se dégage du centre de la ville, les deux tours de la cathédrale.

Des cinémas, des restaurants doivent être ouverts ; des couples se glissent le long des façades et sans doute y a-t-il des parapluies qui se retournent.

Je suis resté longtemps à la fenêtre, à regarder le paysage déformé par l'eau qui lave les vitres, avant de me mettre à écrire. Puis j'ai refermé le rideau, placé deux bûches dans la cheminée.

Cela s'est passé à peu près de la même façon il y a trois ans, à la même époque de l'année, un soir qu'il pleuvait aussi, quand j'ai essayé d'écrire mon histoire, notre histoire à ma femme et à moi, la mienne surtout, bien entendu, puisque c'était moi qui écrivais.

En un mois, j'ai écrit la longueur d'un roman et, dans mon esprit, c'était bien un roman, aussi passionnant que ceux que les écrivains inventent, avec l'avantage d'être vrai de bout en bout. Lorsqu'il a été fini, j'avoue que j'ai eu le désir de le voir paraître, ne fût-ce que pour montrer à certaines gens que je ne suis pas complètement incapable.

Je l'ai d'abord envoyé à un éditeur de Paris qui, quelques semaines plus tard, me l'a retourné accompagné d'une lettre aimable, la même, sans doute, qu'ils envoient à tous les auteurs refusés.

J'ai pensé alors à un romancier dont j'ai lu tous les livres parce que je m'y trouve un peu en famille. C'est le seul, des auteurs que j'ai lus, dont les personnages me donnent l'impression d'être des hommes comme moi, avec les mêmes problèmes, les mêmes préoccupations, la même façon de réagir.

Je me suis dit que cet homme-là, à peine plus âgé que moi, d'après ses biographies, me comprendrait, et je lui ai envoyé mon manuscrit ainsi qu'une lettre dans laquelle je lui expliquais, peut-être maladroitement, pourquoi je m'adressais à lui.

Contre toute attente, il m'a répondu dans la semaine. Je regrette maintenant le mouvement de dépit qui m'a fait déchirer sa lettre en petits morceaux que j'ai jetés au feu. Je croyais chacune de ses phrases gravée dans ma mémoire et, au moment où je voudrais les citer, je n'arrive pas à les reconstituer. J'ai brûlé le manuscrit aussi et j'avais les larmes aux yeux en voyant les feuillets flamber parmi les bûches.

Que me disait-il au juste et qu'est-ce qui, dans

sa lettre, m'a laissé une telle amertume ? Est-ce bien le mot ? N'ai-je pas surtout été humilié comme quand on vous surprend dans une attitude dégradante ?

Certes, « il m'avait lu de bout en bout avec un réel intérêt ». Il ajoutait que c'était « un document humain » et on trouvait dans la même phrase le mot émouvant. Mais, justement à cause de cela, « on ne se sentait pas en présence d'une œuvre littéraire à proprement parler ».

Il n'employait pas le terme confession, que je sentais néanmoins dans son esprit.

« Je ne crois pas me tromper en pensant qu'on peut vous identifier avec votre personnage et que vous avez vécu vous-même, assez récemment... »

Je ne le cachais pas et, si le livre était paru, beaucoup de gens n'auraient pas manqué de me reconnaître. Alors, pourquoi étais-je ulcéré ? C'est qu'il y avait justement cette fameuse phrase que je ne retrouve pas, à la fois explicite et réticente, une phrase à laquelle, tout écrivain qu'il est, il a dû réfléchir un bon moment.

« En vous lisant, on a l'impression assez pénible d'assister malgré soi à... »

Qu'importent les mots, après tout ? J'ai compris. On avait l'impression, me disait-il, de devenir une sorte de voyeur, de monsieur qui se délecte en surprenant les choses assez malpropres qui se passent chez les voisins.

En d'autres termes, j'étais ni plus ni moins qu'un exhibitionniste.

Il s'agissait, je l'ai dit, de notre histoire, à Irène et à moi. Je ne cachais rien. Je n'ai honte de rien. Il est d'ailleurs probable que j'y reviendrai mais, cette fois, à cause de la mort de l'oncle Antoine, du retour ahurissant d'Édouard, de tout ce qui s'est passé ces derniers jours, mon histoire aura un caractère moins personnel et on ne pourra plus me comparer à certains personnages que je vois parfois surgir, le soir, de l'urinoir, au passage d'une petite bonne.

On m'accusera sans doute de trahir la famille, de salir le nom des Huet, de laver notre linge sale sur la place publique. Cela m'est égal. Assez de gens s'accordent le droit de s'occuper de moi pour que j'aie, à mon tour, le droit de m'occuper des autres.

Ma femme lit dans son lit, sans savoir que j'écris. De temps en temps, je l'entends qui tourne la page, car la porte de la chambre est restée entrouverte. Tout à l'heure, elle me demandera, sans élever la voix :

— Qu'est-ce que tu fais ?

Je répondrai, comme d'habitude :

— Rien.

Elle n'insistera pas, allumera une cigarette, tournera d'autres pages avant de regarder l'heure et de murmurer :

— Tu ne te couches pas ?

— Tout de suite...

Le temps de glisser mes feuillets dans un carton à dessins où je garde d'anciens croquis et qu'il ne viendrait à l'idée de personne, surtout d'Irène, d'ouvrir.

**

Lundi, 6 novembre

Mardi soir, la veille de la Toussaint, nous aurions dû dîner à la maison avec Nicolas Macherin, que nous appelons tous les deux Nic et que nous tutoyons malgré la différence d'âge. Vers la fin de l'après-midi, il a téléphoné de Paris, où ses affaires l'avaient appelé pour quelques jours, et il a annoncé à ma femme qu'il ne pourrait rentrer que par le train de nuit.

Nous avons donc mangé en tête à tête et Adèle, la bonne, qui avait décidé de sortir, accélérait le service. Nous avons fini par aller au cinéma. Irène a sorti la voiture du garage de l'immeuble pendant que je l'attendais sur le trottoir et c'est elle qui a conduit, comme presque toujours, ce qui est naturel puisque c'est sa voiture.

A cause des sens uniques, nous sommes passés devant le Grand Théâtre, illuminé comme pour un gala, et j'ai remarqué que les gens qui débarquaient des autos au bas du péristyle étaient en tenue de soirée. J'ignorais à ce moment-là qu'on donnait un grand concert et, à plus forte raison, que Colette y assistait en compagnie de Jean Floriau.

Nous avons fini par entrer au *Rialto*, qui existait déjà quand j'étais un tout jeune homme et qui a été modernisé depuis. En sortant, nous avons parcouru la rue de la Cathédrale de bout en bout, puis la rue des Chartreux. S'il ne pleuvait pas encore, il y avait dans l'air une humidité qui rendait les lumières moins aiguës et qui leur donnait un certain mystère.

— On prend un verre ? ai-je proposé.

— Si tu veux...

Nous étions devant le Café Moderne, tout chaud, bruissant de conversations, et j'y ai revu quelques smokings, quelques robes du soir, j'ai salué de la main deux ou trois personnes de connaissance. Irène, de son regard myope, examinait les visages autour d'elle dans l'espoir, je le sais, de retrouver des amis avec qui nous aurions prolongé la soirée car, une fois sortie de la maison, elle déteste rentrer de bonne heure.

A minuit, pourtant, nous nous levions tous les deux pour aller retrouver la voiture parquée en face de la cathédrale.

Je ne me souviens pas de ce que nous nous sommes dit. Nous n'avons pas beaucoup parlé. Il

nous arrive rarement d'avoir une véritable conversation et j'ai à nouveau attendu sur le trottoir
pendant qu'elle rentrait la voiture au garage.

C'est un hasard qu'en revenant nous ne soyons
pas passés par le quai Notre-Dame, comme cela
nous arrive fréquemment. Bien que le quai soit très
près du centre de la ville, qu'il en fasse pratiquement partie, il constitue une zone d'obscurité et
de silence.

La masse sombre de l'Évêché, où on ne voit
jamais que deux ou trois fenêtres éclairées, est
suivie d'un jardin entouré de hauts murs, puis
d'hôtels particuliers à portes cochères qui datent
du début du siècle dernier. Le troisième de ces
hôtels, un des plus massifs, tout en pierre grise,
est celui de mon oncle Antoine et je me souviens
encore de l'impression que m'a faite cette lourde
bâtisse le jour où ma mère m'a dit en passant,
alors que j'étais tout enfant :

— C'est là qu'habite ton oncle Antoine.

Même plus tard, devenu un familier de la
maison, pour autant que l'un d'entre nous en ait
été un familier, je n'ai pas cessé d'être impressionné par la solennité du quai Notre-Dame, par
sa richesse dédaigneuse et revêche.

Nous habitons un quartier neuf, moderne, qui
est devenu un des plus recherchés de la ville. Nous
avons pour voisins de grands médecins, des avocats,
des industriels importants. Jour et nuit, de belles

voitures sont rangées le long des trottoirs. Tout cela, si je puis ainsi m'exprimer, reste dans la vie et on peut imaginer ce qui se passe, le soir, derrière les rideaux, comment les gens se comportent, ce qu'ils se disent à table. On n'est pas surpris de les reconnaître au cinéma ou au café.

Sans doute à cause de mes souvenirs d'enfance, j'ai de la peine à imaginer un habitant du quai Notre-Dame au cinéma. Parfois, le soir, les rideaux d'une fenêtre restent ouverts et on découvre, dans une lumière assourdie, un plafond aux lourdes moulures, des murs grenat, par exemple, ou recouverts de boiseries ; il est rare d'apercevoir une silhouette et c'est presque toujours celle d'un veillard immobile.

Que se serait-il passé si nous avions pris, ce soir-là, pour rentrer chez nous, le quai Notre-Dame ? J'aurais certainement jeté un coup d'œil machinal à la maison de mon oncle. Y avait-il de la lumière, à minuit ? Colette était-elle déjà rentrée ? La voiture de Jean Floriau se trouvait-elle encore devant la porte ? Un indice quelconque permettait-il de deviner, du dehors, qu'un drame venait de se passer et qu'un second drame allait se dénouer moins tragiquement ?

Je nous revois, dans notre chambre, occupés à nous dévêtir. En regardant Irène retirer ses bas, l'envie m'est venue de faire l'amour, puis j'ai pensé qu'elle avait été de mauvaise humeur toute la soirée, qu'elle prendrait un air résigné et j'ai renoncé.

— Bonne nuit.

— Bonne nuit.

— Tu vas au cimetière, demain matin ?

— A moins qu'il pleuve trop fort.

Ma femme ne va pas au cimetière à la Toussaint, ni le Jour des Morts, bien que sa mère y soit enterrée. Elle ne parle jamais de son père qu'elle a perdu, il est vrai, alors qu'elle n'avait qu'une dizaine d'années. Elle a encore, en ville, dans le quartier du Grand-Vert, du côté des chantiers et des usines, une ou deux tantes, des cousins, des cousines, mais elle a une fois pour toutes coupé les liens avec sa famille. Elle vit comme si elle n'avait eu ni enfance ni jeunesse. Elle ne dit pas :

— Quand j'étais petite...

Ou encore :

— J'avais un oncle qui...

Ce passé-là a été rayé, effacé, probablement parce qu'il était trop misérable. Elle est devenue une autre personne, qui n'a plus rien à voir avec les Taboué et les Loiseau dont elle est issue.

Je ne vais plus à la messe depuis l'âge de quinze ans, au grand désespoir de ma mère qui y assiste chaque matin et qui a son prie-Dieu à l'église, mais je suis resté fidèle à certaines traditions, comme de me rendre au cimetière le matin de la Toussaint ou le Jour des Morts.

Je comptais partir de bonne heure, car Nicolas Macherin déjeunerait sans doute à la maison. Quand je me suis levé sans bruit et que, en robe de chambre, je suis passé dans la salle à manger, le vent avait commencé à souffler et le ciel était bas, avec de grosses poches d'eau en suspens. Des gens marchaient vite, les mains dans les poches, dans l'allée qui coupe en diagonale le Jardin Botanique.

Je venais de prendre mon bain et de me raser quand j'ai été surpris d'entendre sonner à la porte d'entrée. Nous recevons rarement des visites inopinées, surtout un matin de Toussaint, et j'ai entrouvert la porte de la salle de bains pour m'assurer qu'Adèle allait ouvrir.

Ma surprise a été plus grande encore quand j'ai reconnu la voix de ma mère, qui n'a pas mis les pieds chez moi depuis plus de trois ans, depuis, en somme, que Nicolas y fréquente et que les gens jasent à notre sujet. J'ai continué à la voir, chez elle, sans Irène, bien sûr, et elle a plusieurs fois essayé de me tirer les vers du nez.

— Dis-moi, Blaise, tu ne crois pas que cela finira par te faire du tort ?

Dans ces cas-là, je prends un air innocent, car c'est un sujet qu'il m'est impossible de discuter avec elle. Elle serait la dernière personne au monde à comprendre.

— Me faire du tort ?

— Certains prétendent qu'il a déjà été question

de te retirer ta place à l'École des Beaux-Arts.

— Laisse-les dire.

— Je ne te comprends pas. Si tu savais comme tu me rends malheureuse! Quand je pense à ton père, si strict, si scrupuleux, qui n'aurait accepté un centime de personne...

C'était pourtant ma mère qui sonnait chez moi un matin de Toussaint et qui attendait dans le living-room pendant que j'achevais en hâte de m'habiller.

— Qu'est-ce que c'est? demandait une voix endormie, dans la demi-obscurité de la chambre,

Je répondais à Irène :

— Ma mère. Je ne sais pourquoi elle est ici...

Je la trouvai en grande tenue, vêtue de noir, avec, me sembla-t-il, une légère odeur d'encens émanant de ses vêtements. Ses yeux étaient rouges. Elle reniflait, un mouchoir à la main.

— Tu ne connais pas encore la nouvelle? me demandait-elle avec une certaine méfiance.

— Quelle nouvelle?

Son regard s'arrêtait sur le téléphone.

— Tu as pourtant le téléphone...

Ma mère ne l'avait pas et refusait obstinément de le faire installer chez elle.

— Je me demande pourquoi on ne t'a pas averti...

— Qui?

— Ton cousin Jean aurait pu te téléphoner ou,

s'il est trop occupé, faire téléphoner sa femme...

Elle parlait de Floriau, le mari de ma cousine Monique, qui est, à trente-huit ans, un cardiologue réputé.

— Ton oncle Antoine est mort... Je suis sûre qu'ils ont déjà prévenu tout le monde, sauf toi...

Elle regardait autour d'elle avec inquiétude, comme si elle craignait de voir surgir ma femme, questionnait à voix basse :

— Où est-elle ?

— Elle dort.

— Tu es sûr qu'elle ne va pas se lever ?

— Certainement pas avant une heure d'ici. Assieds-toi.

Ma mère était restée debout. Moi aussi. Malgré la nouvelle qu'elle m'apportait, elle trouvait le moyen de faire, d'un œil critique, sinon scandalisé, un inventaire du living-room. Et je savais fort bien que ce n'était pas le modernisme seul qui la choquait. Elle évaluait le prix des tapis, de la moquette, des tableaux. J'étais sûr qu'elle pensait : « Ce n'est pas avec ce que gagne un petit professeur de dessin que... »

Je me demande si je n'étais pas plus peiné qu'elle par la nouvelle qu'elle apportait. Comme les autres membres de la famille Huet, je n'allais que de loin en loin voir mon oncle dans sa maison du quai Notre-Dame. Je le trouvais presque toujours le dos au feu dans son bureau très haut de plafond, tapissé de livres. D'épaisses lunettes donnaient un certain air de naïveté à son regard.

Il avait la politesse de ne pas s'étonner de notre visite, d'avoir l'air de la trouver naturelle et il désignait un fauteuil en face de lui.

— Comment va ta femme ? Ta santé ?

A soixante-douze ans, il restait aussi alerte l'esprit aussi délié qu'un homme en pleine force de l'âge. Son corps était court, large, épais et, comme il s'était toujours tenu voûté, il faisait penser à un gorille.

Cela me rappelle un mot de ma mère, une fois que nous sortions de chez lui.

— Que c'est malheureux d'être si laid !

Il est vrai qu'elle ajoutait aussitôt :

— Mais il est tellement intelligent !

L'oncle Antoine, dernier survivant de sa génération des Huet, était réellement laid. Sa face, plus large que haute, rappelait certains Mongols qu'on voit, dans les films, jouer les rôles de traître et, au milieu, un nez dérisoirement petit, écrasé, se trouvait presque noyé dans la chair molle des joues.

— Qui t'a annoncé la nouvelle ? demandai-je à ma mère. Et, d'abord, quand cela s'est-il passé ?

— Hier soir, on ne sait pas au juste à quelle heure. Ce matin, je suis allée à la messe à la cathédrale au lieu d'aller à Sainte-Barbe, me disant que je me trouverais déjà à mi-chemin du cime-

tière. A la sortie, j'ai rencontré Monique et ses
deux enfants...

Monique, c'est ma cousine qui a épousé Jean
Floriau, le médecin. Ils ont deux filles, de huit et
de douze ans.

— Figure-toi que Monique n'a pas dormi de la
nuit. Hier soir, mon mari est justement sorti avec
Colette...

Je l'ai déjà dit, Colette, c'est la femme de mon
oncle Antoine. Elle a trente et un ans de moins que
lui et, rien qu'à la façon dont ma mère prononce
son nom, on devine tout un monde de pensées
inexprimées.

— Ils sont bons amis tous les deux, tu le savais ?

Je n'ignorais pas que Floriau fréquentait davantage la maison du quai Notre-Dame que le reste
de la famille.

— Monique ne pense qu'à ses enfants et refuse
presque toujours de sortir le soir. Antoine, lui, ne
sortait jamais. Alors, assez souvent, quand on
donne une pièce de théâtre ou un concert, Floriau
invite Colette...

Ma mère épiait mes réactions, établissant peut-
être un rapprochement entre cette situation et
celle de mon ménage.

— J'ai toujours dit qu'elle est folle.

— Colette ?

— En tout cas hystérique... Je sais ce que je
sais... Peu importe !... Ce n'est pas le moment

d'en parler et, d'ailleurs, ce serait trop long...

Elle surveillait toujours la porte, n'oubliant pas la présence invisible de ma femme dans l'appartement.

— Bref, hier soir, Colette et Floriau sont allés ensemble au concert... Ton oncle Antoine est resté seul avec François et, paraît-il, s'est mis au lit vers neuf heures et demie...

J'ai toujours connu François quai Notre-Dame et je jurerais que, depuis mon enfance, il n'a pas changé. A la fois chauffeur, maître d'hôtel et valet de chambre, c'est lui qui engage les autres domestiques et qui les dirige, car Colette ne s'occupe pas de la maison.

— Après s'être assuré que ton oncle n'avait besoin de rien, François est allé se coucher au troisième étage et il n'a rien entendu. Vers minuit, Floriau a ramené Colette. Voyant qu'il n'y avait plus de lumière, il n'est pas entré et est reparti dès que la porte a été refermée.

« Chez elle, Monique attendait son mari, car elle ne se couche jamais avant lui. Les enfants dormaient. Elle a sursauté en entendant le téléphone et elle a d'abord cru que c'était un malade ou l'hôpital. Elle a à peine reconnu la voix de Colette. Celle-ci parlait comme une hallucinée, sans savoir ce qu'elle disait.

« — Au secours! a-t-elle d'abord crié. Il est mort...

« Tu imagines l'effroi de Monique, dont le mari n'était pas encore rentré.

« — Où êtes-vous ? Qu'est-il arrivé ?

« — Je suis chez nous... Je l'ai trouvé mort dans son lit...

« — Oncle Antoine ?

« — Il faut que Jean vienne tout de suite... Je ne sais plus... J'ai peur...

« — Et François ?

« — Quoi, François ?

« — Il n'est pas dans la maison ?

« — Je ne sais pas. Je ne l'ai pas vu. Je n'ai vu personne. Je suis toute seule... J'ai peur... C'est affreux...

« — Sonnez d'abord François. Je suis sûre qu'il n'a pas quitté la maison...

« — Je vais essayer, oui... Je voudrais quand même que Jean vienne immédiatement... Peut-être y a-t-il encore quelque chose à faire ?...

« — Il n'est pas mort ?

« — Je ne sais pas... Je crois... Oui... »

Colette, d'après ma mère, qui le tenait de Monique, n'avait même pas raccroché et avait dû laisser pendre le combiné du téléphone.

Monique, elle, avait guetté, sur le seuil, le retour de son mari. Quand elle avait aperçu les phares de la voiture, elle s'était précipitée et Floriau, toujours en smoking sous son pardessus, avait fait demi-tour.

— Il faut que nous allions là-bas, Blaise, disait ma mère avec impatience. Va prévenir ta femme...

Elle craignait toujours de se trouver nez à nez avec Irène.

— Je te raconterai le reste en chemin...

Comme je me levais, elle trouvait pourtant une autre nouvelle à m'annoncer.

— On prétend qu'un malheur ne vient jamais seul... Tu sais qui est en ville, depuis plusieurs jours, paraît-il ?... Ton cousin Édouard !... Qu'est-ce que ça peut signifier ?... Et comment tout cela va-t-il tourner ?...

Chacun de ces mots, dans la bouche de ma mère, devenait dramatique, car elle a le sens du malheur.

— Je viens tout de suite...

Je trouvai Irène assise dans son lit, finissant son petit déjeuner. Elle m'interrogea du regard.

— Oncle Antoine est mort, dis-je avec, malgré moi, un peu du halètement que m'avait communiqué ma mère.

Ma femme me regardait, surprise, un toast à la main.

— Il avait plus de soixante-dix ans, non ?

— Soixante-douze ou soixante-treize, je ne sais plus au juste.

— Est-ce qu'il ne souffrait pas du cœur ?

— Comme tous les Huet. Il les a néanmoins enterrés tous.

— Tu vas là-bas?... Tu rentreras déjeuner?...

— Je ne 'sais pas...

Elle me tendit son front que je baisai distraitement. Je me rendais soudain compte que, dans mon esprit, ou plutôt dans mon subconscient, l'oncle Antoine n'avait jamais été tout à fait un homme comme un autre. Ce n'était pas seulement, j'en suis sûr, parce qu'avec lui c'était toute une génération de Huet, la génération de mon père, qui disparaissait.

Je me souviens qu'à ce moment une idée me frappa, à laquelle je n'eus cependant pas le temps d'accorder beaucoup d'attention. Le cousin Édouard, dont ma mère venait de me parler, et qui avait mystérieusement réapparu dans la ville, était désormais l'aîné de la famille. Il avait quarante et un ans, un an de plus que moi, quatre ans de plus que mon frère Lucien.

En retrouvant ma mère, je lui demandai :

— On a prévenu Lucien?

— Je suppose qu'il aura appris la nouvelle au journal...

Car mon frère travaille comme rédacteur au *Nouvelliste*.

— Allons, maintenant, Blaise...

Je décrochai mon manteau, pris l'ascenseur avec ma mère, me dirigeai vers le garage de l'immeuble. Elle me suivait à petits pas rapides, car elle n'est guère plus grande que ne l'était l'oncle Antoine.

— Tu crois qu'on n'ira pas aussi vite à pied ?

Debout près de la voiture d'un bleu clair très féminin, je fouillais fébrilement mes poches.

— J'ai oublié la clef là-haut... avouai-je.

— Allons à pied, Blaise... Je t'assure que j'aime mieux ça...

Parce qu'elle considérait que ce n'était pas mon auto, mais celle de ma femme !

Nous traversions le parc, penchés en avant, à cause des bourrasques, et ma mère était obligée de crier pour se faire entendre.

— Tu connais Floriau. C'est un homme froid, maître de lui, méticuleux... On affirme que c'est un grand médecin, mais il y en a d'autres que lui qui ne sont pas si poseurs... Il a trouvé Antoine mort dans son lit, et Colette qui, dès qu'elle a entendu son pas dans l'escalier, s'est jetée sur le corps en hurlant des mots sans suite... Il paraît que la cuisinière est en congé, qu'il n'y avait comme femme dans la maison qu'une petite bonne de seize ans assez stupide...

« Ton cousin a commencé par s'occuper de Colette... Il a été obligé de l'emmener de force dans sa chambre où on l'a déshabillée pour la mettre au lit... Il lui a fait une piqûre calmante... Il faut croire que c'était insuffisant car, au moment où, dans la chambre voisine, Floriau téléphonait à sa femme pour la mettre au courant, il a entendu un fracas, des cris de terreur...

« Quand il s'est précipité, il a trouvé Colette, qui avait ouvert la fenêtre toute grande, non sans casser une vitre, essayant de sauter dans le vide cependant que la petite bonne se raccrochait à elle...

« Je ne sais pas si c'est de la comédie... Ce n'est pas impossible... Même les fous jouent la comédie et, quand elle était jeune, elle voulait faire du théâtre... Elle a suivi des cours... »

— Qui te l'a dit ?

— C'est elle, un jour que ton oncle m'avait demandé de prendre le thé avec sa femme parce qu'elle avait ses humeurs noires... »

Nous avions traversé le jardin, laissé à gauche les colonnes grises du Palais de Justice et nous nous dirigions vers le Pont-Vieux où les passants, la silhouette de travers, tenaient leur chapeau dans la tempête.

— Tu imagines les émotions de Monique !... Deux fois, coup sur coup, qu'on la laissait en plan au téléphone... Quand son mari l'a rappelée, quelques minutes plus tard, il lui a demandé qu'elle prévienne l'hôpital de sa part afin qu'on lui envoie de toute urgence une garde...

« Il n'est rentré chez lui, pour se changer, qu'à six heures du matin... »

Je n'avais pas demandé à ma mère de quoi mon oncle était mort, tant la réponse me paraissait évidente. Son père, Jules Huet, le fondateur de la famille, en somme, avait succombé, vers l'âge de cinquante-quatre ans, à une crise cardiaque, le lendemain de l'Armistice, en 1918. Son second fils, Fabien, le père d'Édouard-le-mauvais-sujet et de Monique-la-femme-du-docteur, avait traîné cinq ans une angine de poitrine qui l'avait terrassé à quarante-cinq ans. Quant à mon père, le troisième des fils Huet, il s'était affalé sur son bureau d'architecte la veille de ses cinquante ans.

Maintenant qu'Antoine venait de mourir à son tour, il ne restait de cette génération qu'une fille, Juliette, qui devait avoir environ soixante ans et qui, depuis son veuvage, dirigeait, sur la hauteur de Corbassière, à l'entrée nord de la ville, une entreprise de camionnage. Elle s'appelait maintenant Lemoine. Elle avait des enfants, des petits-enfants que je connais à peine de vue, comme s'il s'agissait d'une branche détachée de la famille.

Nous longions les façades des vastes maisons patriciennes quand ma mère, soudain, me saisit le bras.

— Je me demande s'il est encore temps de parler à ton cousin Floriau... Ce matin à six heures, il n'avait encore rien dit qu'à sa femme, mais je suppose que le médecin de l'état civil est passé depuis...

Je l'ai regardée, surpris, dans le froid, dans la

bise qui bleuissait son visage et alors elle m'a lâché, en se retournant pour s'assurer que personne ne l'entendait :

— D'après Floriau, Antoine n'est pas mort de mort naturelle... Il se serait empoisonné...

CHAPITRE II

J'AVAIS PRESSÉ LE bouton perdu au milieu d'une lourde rosace de bronze et nous restions debout devant la porte cochère, ma mère et moi, impressionnés, à écouter le silence de la maison. J'avais l'onglée, malgré mes gants, les narines et les paupières humides.

Quand une fenêtre s'est ouverte, nous avons levé la tête en même temps. Mais c'était une fenêtre de la maison voisine, d'où une vieille femme immobile nous observait, le visage sans expression. Savait-elle déjà? Une porte s'est ouverte, à l'intérieur. Des pas ont résonné sur le pavé de la voûte et la petite porte aménagée dans un des battants de la porte cochère s'est d'abord entrebâillée avant de s'ouvrir assez pour nous livrer passage.

— Quel malheur, François!

Pour la première fois, je me suis rendu compte que le maître d'hôtel était plus âgé que mon oncle et je ne serais pas surpris qu'il approche de ses quatre-vingts ans. Il était rasé de frais, vêtu de noir comme d'habitude, avec une cravate-plastron d'un blanc immaculé, à peine plus blanc, pourtant, que son visage fatigué, dont les traits se dessinaient avec exagération comme sur une caricature.

Il n'a rien répondu à ma mère, se contentant de hocher la tête. La voûte se termine par une porte vitrée qui donne sur une cour assez vaste, pavée, avec, au fond, un rang d'anciennes écuries et, au milieu, un énorme tilleul.

C'est une autre porte vitrée que nous avons franchie, ouvrant sur un péristyle de sept ou huit marches de marbre blanc. Une des portes du rez-de-chaussée était ouverte mais les volets étaient fermés et, dans la pénombre, on n'apercevait que des reflets sur les sculptures des meubles.

Je connais ce rez-de-chaussée pour en avoir aperçu les pièces en passant et pour y être allé fureter, enfant, pendant que mes parents bavardaient dans le bureau de mon oncle. Ce ne sont que des salons, deux grands et un plus petit, sombres en plein jour, avec, au mur, de vieux portraits, des paysages aux cadres dorés et, dans le premier salon, une tapisserie ancienne qui

couvre un mur entier et représente une chasse
à courre.

Le hall, à lui seul, est deux ou trois fois plus
vaste que notre living-room, dallé aussi d'un
marbre blanc si lisse et si poli qu'on risque de
s'y étaler. Deux balustres supportent des nègres
de bronze brandissant des torchères et un escalier
à double volée, couvert d'un épais tapis grenat,
conduit au premier étage.

Tout cela était vide, avec, dans l'air, une immobilité impressionnante, une absence absolue de
frémissement, de bruits et d'odeurs. Je ne me
souviens d'avoir eu cette impression que dans
des musées.

Et ce n'était pas à cause de la mort de mon
oncle. J'ai toujours connu la maison du quai
Notre-Dame aussi neutre, aussi inhumaine, sauf
le cabinet de travail où la vie et la chaleur paraissaient concentrées.

Nous n'avons jamais été vraiment reçus dans
la maison, mon père, ma mère et moi, et je ne
pense pas qu'un membre de la famille, sauf peut-
être Jean Floriau — et encore, je n'en suis pas
sûr — y ait pris un repas.

Nous venions en visite. Certaines fois, j'ai vu
offrir à mon père un verre de porto et un cigare.
Le plus souvent, c'était du thé et des gâteaux
secs, différents de tous les gâteaux que j'ai man-
gés ailleurs.

Pourtant, les salons du rez-de-chaussée, aux fauteuils raides garnis de damas et de brocarts, avaient servi. La grande salle à manger du premier étage aussi. Je n'arrive pas à m'imaginer ces dîners-là, ni ces soirées. Je connais les noms de certains invités, des hommes graves, importants, des banquiers français ou étrangers, des hommes politiques et même les chefs d'État de petits pays qui avaient recours aux lumières de mon oncle.

Dans le silence, nous montions tous les trois jusqu'au second étage et François, sans un mot, poussait une porte, ma mère faisait deux ou trois pas hésitants avant de s'immobiliser et de se signer.

Antoine Huet était étendu sur son lit, dans la pose traditionnelle des morts, les mains croisées sur la poitrine. On n'avait pas fermé les rideaux, allumé de bougies, et c'était la lumière froide et grise du dehors qui l'éclairait. Je comprenais que cela choquait ma mère, qu'elle cherchait quelqu'un des yeux. Floriau sortait de la chambre voisine, vêtu de gris, le teint gris, lui aussi, de n'avoir pas dormi.

— Mon Dieu, Jean !

Il la regardait de ses yeux clairs qui n'exprimaient rien, sinon peut-être une certaine impatience.

— Qui est-ce qui t'a prévenue, tante ?

— C'est ta femme. Je l'ai rencontrée à la sortie de la messe et elle m'a tout raconté. Mon Dieu, Jean! Pourquoi ne ferme-t-on pas les rideaux? On ne se croirait pas dans une chambre mortuaire.

Elle ajoutait avec une pointe de rancune, sachant que Floriau n'était pas pratiquant :

— On ne lui a même pas placé de chapelet entre les doigts!... Je vais lui mettre le mien...

— Ce n'est pas la peine, tante.

— Pourquoi? Que veux-tu dire?

— On va venir le chercher.

— Le chercher?

— Tâche de rester calme. Les choses sont déjà assez compliquées. J'attends d'un moment à l'autre le commissaire de police. Le médecin de l'état civil est venu tout à l'heure et est de mon avis.

— Tu avais vraiment besoin de lui dire?

— J'y étais tenu. C'est trop compliqué à t'expliquer. Je suis médecin et je n'avais pas le droit...

— Es-tu seulement sûr de ne pas te tromper?

— Certain.

Le ton devenait cassant.

— Qu'est-ce qu'on va en faire?

— Le conduire à la morgue pour l'autopsie.

— C'est toi qui t'en chargeras?

Elle était acerbe à son tour, presque menaçante, comme si elle, qui n'était pourtant une Huet que par alliance, avait la charge de défendre l'honneur de la famille.

— Non. Le médecin légiste. C'est la règle en cas de suicide.

— Même pour un homme comme lui qui avait des amis si haut placés ?

J'avais remarqué, sur la table de nuit, un verre d'eau presque vide, une paire de lunettes et un flacon qui contenait encore quelques comprimés blanchâtres.

— Pourquoi aurait-il fait ça, Jean ? Il avait tout ce qu'il voulait...

Ma mère laissait percer son arrière-pensée en enchaînant brusquement :

— Comment va Colette ? Ta femme m'a dit...

— Elle a eu une seconde crise à son réveil... J'ai dû lui faire une autre piqûre... La garde est près d'elle et on l'emmènera tout à l'heure à la clinique Saint-Joseph...

— Pauvre femme !

Ma mère la détestait, mais elle parlait à Floriau qui passait pour être l'amant de Colette. C'était en tout cas ce qui se chuchotait dans la famille.

Ma mère n'aimait pas Floriau non plus ; elle avait cependant pour lui un certain respect, parce qu'il était un médecin connu, dont on parlait comme d'un futur professeur, et aussi, peut-

être, parce que son calme et sa froideur ne donnaient aucune prise.

— Tu ne crois pas qu'elle a toujours été un
peu folle ? Je me suis laissé dire que sa mère est
morte dans un asile du Midi...

Elle n'ajoutait pas, comme elle l'avait sur le
bout de la langue :

— ... et que c'était Antoine qui payait sa
pension...

Elle préférait changer une fois encore de sujet.
S'approchant davantage du lit, elle remarquait :

— Il est presque beau !

C'était vrai. La mort avait enlevé au visage de
mon oncle ce qu'il avait de poupin, d'inconsis-
tant et une impressionnante sérénité en émanait.
J'avais même l'impression de surprendre au
coin de ses lèvres un sourire que je n'y avais jamais vu de son vivant.

— Il n'a laissé aucune lettre ? Tu comprends,
toi, qu'il soit parti comme ça, sans rien dire ?

La phrase suivante m'a mis la puce à l'oreille
car, avec ma mère, tout compte, chaque mot,
chaque intonation, chaque silence.

— Tu sais qu'Édouard est en ville depuis
plusieurs jours, n'est-ce pas ? J'ignore s'il est
allé voir sa femme et ses enfants, mais cela m'étonnerait. Quoique sa femme ait été assez bête, paraît-il, pour lui envoyer plusieurs fois de l'argent...

Est-ce que Floriau, lui aussi, commençait à la

séntir venir? Il n'y paraissait pas. Il écoutait
poliment en même temps qu'il semblait attendre
quelque chose avec agacement, sans doute l'arrivée
du commissaire de police. Il devait en vouloir
à sa femme d'avoir parlé à mère alors que rien
n'était encore terminé.

— Que ferais-tu s'il se présentait?

Je savais maintenant pourquoi ma mère était
venue me trouver de bon matin, chez moi, au
risque de se rencontrer avec Irène.

Floriau avait été le premier sur les lieux, soit,
par hasard, parce qu'il était sorti ce soir-là avec
Colette et que, tout naturellement, c'était à lui
que celle-ci, trouvant son mari mort, avait téléphoné. Du coup, il avait pris les choses en main.
Ne venait-il pas de parler, comme si cela ne regardait que lui, d'envoyer ma tante dans une
clinique?

Ce qui n'allait pas tarder à ressortir comme un
filigrane dans les paroles de ma mère, c'est que
Floriau n'était pas un Huet. Et même s'il en avait
été un, il n'aurait pas été l'aîné des Huet vivants.

L'aîné, c'était cet Édouard qui venait de faire
une réapparition inexplicable et inquiétante dans
la ville.

Ma mère posait d'abord la question à Floriau
qui, momentanément, faisait figure de maître
de maison.

— Que ferais-tu s'il se présentait?

Mais elle ne lui donnait pas le temps de répondre et se tournait vers moi.

— Et toi, Blaise, qu'en penses-tu ? Après
Édouard, tu es l'aîné...

L'oncle Antoine n'avait-il pas juré à sa mère,
sur le lit de mort de celle-ci, que sa fortune irait
aux Huet, quoi qu'il arrive ? Cela se passait en
1948, dans ce même hôtel particulier où Colette
n'avait pas encore mis les pieds et il semblait
alors qu'elle ne les y mettrait jamais.

Antoinette Huet avait quatre-vingt-un ans,
son fils cinquante.

J'en avais vingt-huit à l'époque et, comme le
reste de la famille, j'ai suivi l'enterrement. Tout
le monde cherchait des yeux Colette, dont on
connaissait l'existence, en se demandant si elle
oserait se montrer. Elle ne l'avait pas fait. Antoine, accablé, n'avait pratiquement parlé à personne.

Or, dès ce jour-là, chacun répétait la promesse
solennelle faite à sa mère mourante. Qu'en savait-
on ? Personne n'avait assisté à cet ultime entretien.

Depuis, on n'en a pas moins affirmé avec assu-
rance, même après le mariage d'Antoine :

— Un jour, nous hériterons.

Ma mère en était sûre. Tante Sophie, la veuve
de mon oncle Fabien — la mère d'Édouard et
de Monique —, qui allait sur ses soixante-dix-
neuf ans, partageait cette certitude.

Est-ce que ma mère n'était pas venue, ce matin, pour surveiller son héritage ? Et ne m'avait-elle pas amené en renfort parce que moi, j'avais du sang Huet dans les veines ?

On entendait un gémissement dans la chambre voisine dont la porte était restée entrouverte et ma mère questionnait :

— Elle souffre, Jean ?

Il répondait avec condescendance, en médecin qui n'aime pas parler médecine aux gens incapables de comprendre :

— Pour le moment, grâce à la seconde piqûre, elle ne se rend compte de rien et elle ne reprendra conscience qu'à la clinique.

Jusqu'alors, j'avais eu l'impression de trois personnages presque irréels sertis dans le vide de la maison et le silence qui semblait émaner du mort donnait aux voix de ma mère et de Floriau une tonalité insolite.

Une sonnerie étouffée vibrant quelque part, dans une pièce voisine ou dans un couloir, a été comme un signal. Moins d'un quart d'heure plus tard, les pièces, où les allées et venues avaient rompu la stagnation de l'air, étaient encombrées d'inconnus parmi lesquels on s'étonnait de trouver quelqu'un de la famille qu'on n'avait pas vu entrer.

Cela commença par le commissaire de police, accompagné de son secrétaire ou de son adjoint. Ils avaient tous deux l'attitude solennelle, le nez rougi par le froid.

Mon cousin se présenta :

— Docteur Jean Floriau.

— Je vous connais de nom, docteur.

Le commissaire regardait ma mère, puis moi, d'un œil interrogateur.

— Ma tante... Mon cousin Blaise Huet...

Pendant tout le temps qu'avait duré l'entretien de ma mère et de Floriau, il m'était arrivé plusieurs fois de jeter un coup d'œil furtif au mort et je n'aurais pas été trop surpris de le voir ouvrir les yeux et participer inopinément au débat.

Il n'en était plus de même, maintenant que le commissaire était là, c'est peut-être enfantin de l'avouer. Je pouvais regarder sans trouble le visage figé dans une expression sereine. Ma mère aurait bien voulu rester.

— C'est sa sœur ? demandait le fonctionnaire.

— Sa belle-sœur.

Le commissaire toussotait comme s'il attendait quelque chose qui ne venait pas et Floriau comprenait.

— Tu devrais aller un moment près de Colette, tante...

Elle s'éloignait à regret, un peu rassurée, pour-

tant, par le fait qu'on ne m'écartait pas, et le
dernier regard qu'elle me lança avant de franchir
la porte contenait une recommandation.

— Vous avez vu le docteur Pagès, commissaire ?

— Je l'ai quitté il y a un quart d'heure. Il m'a
mis au courant...

Regardant pour la première fois le lit en face,
il se signait et restait un moment immobile comme
quand, dans les assemblées, on observe une minute de silence. Ensuite, il désignait le flacon sur
la table de nuit.

— Je suppose que c'est le somnifère ? Vous
étiez son médecin ?

— Il m'est arrivé de l'ausculter à l'occasion,
deux ou trois fois, mais il avait un médecin trai-
tant, mon confrère Bonnard.

— C'est lui qui lui a ordonné ce médicament ?

— Avec mon plein accord. Mon oncle n'en
usait pas chaque jour. Seulement en cas d'in-
somnie.

— Bien entendu, il savait jusqu'à quelle dose
il pouvait aller ?

— C'était un homme prudent. D'après François, le maître d'hôtel, le flacon a été débouché
il y a une semaine environ. Il ne devrait donc
manquer qu'une demi-douzaine de comprimés.
D'après ce qui reste, j'ai tout lieu de penser que
mon oncle en a pris une trentaine hier au soir.

— On m'a dit que sa femme était absente?

— Elle m'accompagnait au Grand Théâtre, où il y avait une soirée de gala, je l'ai déposée devant sa porte vers minuit.

— Vous n'êtes pas monté?

— Non. Quand je suis arrivé chez moi, elle avait déjà téléphoné à ma femme pour la mettre au courant et pour demander que je revienne d'urgence.

— Vers quelle heure, selon vous, le décès s'est-il produit?

On entendait des pas lourds, des voix, des heurts dans l'escalier. François entra dans la chambre et parla bas à mon cousin.

— Vous permettez, commissaire? Les brancardiers viennent chercher ma tante pour la conduire à la clinique Saint-Joseph...

Des hommes en blouse blanche, coiffés d'un calot, à la façon des chirurgiens, traversaient la pièce, hésitaient un instant en voyant le mort dans son lit, se demandant peut-être si c'était lui qu'ils devaient emporter.

Le commissaire et son compagnon échangeaient quelques mots à mi-voix et l'adjoint enveloppait la fiole de médicament dans un mouchoir, la glissait dans la poche de son pardessus.

— Le verre aussi? demandait-il.

— Je ne pense pas que ce soit nécessaire.

Je me retournai en entendant un curieux petit

sanglot et je fus surpris de voir que c'était ma
mère qui pleurait. La porte de communication
était ouverte. Une garde-malade en uniforme
gris-bleu aidait les brancardiers à glisser ma
tante inerte sur le brancard et lui essuyait la
bouche d'où coulait un filet de salive.

Je suppose que le pauvre François ne faisait
que monter et descendre, car je rencontrais maintenant Monique, la femme de Floriau, venue
rejoindre son mari et le cherchant dans les pièces.
A peine l'avais-je perdue de vue que c'étaient
les gens de la morgue qui se heurtaient aux porteurs de ma tante. Les hommes des deux groupes
se connaissaient, échangeaient des saluts, des
signes mystérieux.

— Je me demande, disait la voix de ma mère à mon
oreille, si tu ne devrais pas téléphoner à ton frère.

Colette partie, on nous priait de sortir de la
chambre pour charger le corps de l'oncle Antoine.
Après avoir traversé une salle de bains que nous
ne connaissions pas, nous nous trouvions dans un
boudoir tendu de soie gris perle où traînaient
encore, par terre, des mules de satin cerise et, sur
le dos d'une chaise, une robe de chambre.

— Antoine s'en va à son tour... soupirait ma
mère.

Cela ne signifiait-il pas qu'à part le vieux
François et la bonne de seize ans il n'y aurait
plus personne de la maison ?

J'ai revu le commissaire et son compagnon
sur le palier, où Floriau leur serrait la main. Au
même moment, j'ai été surpris d'apercevoir mon
frère qui montait l'escalier. Ce qui m'a probablement le plus étonné, c'est la pipe qu'il avait
à la bouche comme s'il accomplissait un quelconque reportage.

Lucien a trois ans de moins que moi, mais il
me semble que la vie l'a marqué davantage. C'est
un besogneux, avec une femme et trois enfants
à nourrir. Non seulement il travaille toutes les
nuits au *Nouvelliste*, où il est secrétaire de la
rédaction, mais il fait des reportages locaux pour
des journaux de Paris et écrit chaque semaine
plusieurs chroniques.

Peu soigneux par lui-même, il affiche un certain laisser-aller et ses dents sont aussi jaunes
que s'il ne les avait jamais lavées.

— Comment as-tu appris ?...

— En faisant, par téléphone, la tournée des
commissariats, comme chaque matin... Un bri-
gadier de mes amis m'a annoncé que mon oncle
était mort... et que le commissaire était sur les
lieux. Maman le sait ?

C'était l'instant où on emportait le corps et
nous avons dû nous coller au mur. On entendait,
dans la cage d'escalier, une voix de femme qui
demandait :

— Qui a décidé cela ?

J'ai reconnu tout de suite la voix de tante Juliette, la sœur de mon père et d'Antoine, celle qui a épousé Lemoine, le camionneur et qui, une fois veuve, s'est mise du jour au lendemain à diriger l'affaire.

Elle a dû s'arrêter au premier étage pour laisser passer les gens de la morgue avec leur fardeau et on a de nouveau entendu sa voix sonore.

— Ainsi, vous prétendez que je n'ai même pas le droit de le voir?

Ma mère nous a rejoints sur le palier, mon frère et moi, tandis que Floriau et sa femme chuchotaient dans la chambre de mon oncle où le lit était vide.

— Qu'est-ce que c'est, cette histoire-là?

Tante Juliette apparaissait dans l'escalier, pas du tout essoufflée, un parapluie à la main, dont elle se servait comme d'une canne, car elle avait eu des ennuis avec ses jambes. Il y avait au moins deux ans que je ne l'avais vue et encore l'avais-je rencontrée par hasard dans un grand magasin.

— Qui donc, ici, s'est permis de prendre toutes ces décisions? Qu'on emmène Colette à la clinique, passe encore. Voilà longtemps qu'elle devrait y être! Mais qu'on emporte le corps de mon frère sans seulement que j'aie pu le voir sur son lit de mort...

Elle regardait ma mère.

— Tu es là, toi ? Avec tes deux fils...

Elle était venue, elle, avec un seul de ses fils, le plus jeune, Maurice, qui l'aide dans l'affaire de transports. J'ignorais encore sa présence. Arrêté comme sa mère par le cortège descendant, il s'était attardé à questionner François et apparaissait seulement dans l'escalier.

— Je vais vous expliquer, tante...

Floriau l'affrontait, à la fois respectueux et ferme.

— Je suis désolé d'avoir l'air de me mêler de ce qui ne me regarde pas mais, contrairement aux apparences, je n'ai aucune part dans les décisions prises... Oncle Antoine s'est suicidé et la loi prévoit dans ce cas...

— Comment le sais-tu, qu'il s'est suicidé ? A-t-il laissé une lettre ?

— Nous n'avons rien trouvé. Les constatations médicales ne laissent aucun doute.

— C'est toi qui les a faites, les constatations ?

Il ne perdait rien de son calme et sa femme s'était rapprochée de lui comme pour lui apporter son aide silencieuse.

— Le médecin de l'état civil est venu ce matin à la première heure. Le commissaire de police quitte la maison à l'instant...

— Ainsi, sous prétexte qu'il s'est suicidé, on va charcuter mon pauvre frère...

Ce qui augmentait le caractère grotesque de

cette scène, c'est qu'elle se déroulait sur le palier,
par bonheur assez vaste, devant la porte ouverte
de la chambre où on voyait le lit défait et où
personne n'osait entrer.

Nul d'entre nous, autant que nous étions,
n'était réellement un familier de la maison et nul,
par conséquent, ne prenait l'initiative d'envahir
une des pièces, de descendre dans la salle à manger
du premier par exemple, à plus forte raison dans
un des salons sombres du rez-de-chaussée.

— Qu'est-ce que Colette a dit avant de partir ?
Elle est sa femme, après tout, qu'on le veuille ou
non.

— Elle n'a rien dit. Elle a subi un choc violent.
La nuit dernière, elle a tenté de se suicider...

— Pour de bon ? Ce n'était pas de la comédie ?

— Si la bonne ne s'était pas raccrochée à elle
et si je n'étais arrivé à temps, elle aurait sauté
par la fenêtre.

— Tu la crois folle ?

— Ce n'est pas à moi de me prononcer. A mon
avis, elle n'est pas folle, sans être pour autant
dans son état normal.

— Combien de temps ça va-t-il durer, son état
anormal ?

— A l'heure qu'il est, un spécialiste s'occupe
déjà d'elle...

Ma tante Juliette est carrée comme un homme,
avec des épaules, des gestes d'homme, une voix

presque masculine. Son fils, à côté d'elle, ne
soufflait mot et on sentait qu'il avait l'habitude
de se taire en présence de sa mère. Je l'ai observé
avec attention. Il m'a semblé que, de nous tous,
il était le plus étranger dans la maison. C'est un
grand garçon aux traits lourds, à la silhouette
plébéienne. Il ne savait que faire de ses grosses
mains et lançait parfois un regard furtif, presque
effrayé, dans la chambre.

On a toujours considéré, dans la famille, que
tante Juliette s'était mésalliée en épousant Lemoine qui avait débuté comme chauffeur de
camion.

— Qui va s'occuper de tout, à présent?

C'était toujours tante Juliette qui parlait et
qui semblait prendre la situation en main.

— S'occuper de quoi? questionna ma mère
avec une naïveté feinte.

— Il faudra bien qu'on l'enterre, non? Qui
enverra les faire-part, se chargera de la cérémonie,
de l'église, de...

Mon frère, à ma surprise, osa prendre la parole.

— L'Église n'accorde pas d'obsèques religieuses
aux suicidés...

— Et elle le saura, l'Église? Elle sait peut-
être ce que nous ne savons pas nous-mêmes? Cet
homme-là est mort tout seul, dans son lit, et ce
qui s'est passé ne regarde personne...

Mon frère est resté très catholique. C'est même

un militant et il a été longtemps chef du patronage de sa paroisse.

— On ne peut pas tricher, dit-il.

— Qui te parle de tricher? La religion, je la connais aussi bien que toi. Personne n'est capable de dire ce que mon frère a pensé avant de mourir. Personne ne peut même jurer qu'il était dans son bon sens quand il a pris ce médicament...

On se regardait avec embarras, car on n'avait toujours pas de réponse à la question de ma tante. Qui allait s'occuper des faire-part, des insertions dans les journaux, des pompes funèbres?

J'ai regardé mon frère. J'étais sûr qu'il brûlait de se proposer, non par intérêt, ni pour se mettre en valeur, pour jouer un rôle important, mais parce que c'est l'homme qui se charge toujours des corvées. Dans les sociétés dont il fait partie, surtout des sociétés de bienfaisance, on peut être sûr de voir son nom suivi de la mention « secrétaire adjoint » ou « trésorier adjoint », ce qui signifie que c'est lui qui s'impose tout le travail.

Pourtant, de nous tous, c'est lui qui a le moins de santé. Sa femme est mal portante aussi. Il a perpétuellement un de ses enfants malade, ce qui ne l'empêche pas, après sa journée, de s'abrutir à des travaux auxquels personne ne l'oblige.

Au fond, je ne suis pas loin de l'envier et je me demande si, bien que le plus pauvre, il n'est pas le plus heureux des Huet.

J'ai surpris le coup de coude que lui donnait ma mère. Il s'est d'abord tourné vers elle pour protester, puis il a murmuré :

— S'il n'y a personne d'autre...

Tante Juliette ne tiqua pas.

— Il doit bien exister un livre d'adresses où tu trouveras la liste des gens à avertir. Surtout, n'oublie pas ta tante Sophie. Annonce-lui la nouvelle avec ménagements, à moins que Monique ne l'ait déjà fait.

Monique secoua la tête.

— François te trouvera sûrement ça... Où est-il, François ?...

On vit sortir le vieux domestique d'une pièce que je ne connaissais pas.

— Tu pourrais peut-être nous servir quelque chose à boire, mon pauvre François. Qu'est-ce que nous faisons tous ici sur le palier ?

Elle descendit la première, son parapluie toujours à la main, suivie par sa grande brute de fils, et les autres pénétrèrent après elle dans la salle à manger dont elle avait ouvert la porte d'autorité.

— Tu as du porto ?

Son père, Jules Huet, patron de l'hôtel et du restaurant du Globe, rue des Chartreux, passait, dans l'histoire de la famille, pour un homme qui prenait volontiers un petit verre avec ses clients. On disait même que, s'il était mort le lendemain de l'Armistice, c'était pour l'avoir trop généreusement fêté jusqu'au petit jour.

— S'il n'avait pas tant bu, m'avait souvent répété ma mère, il aurait vécu aussi vieux que sa femme.

Est-ce à cause de cela que mon père ne prenait jamais d'alcool et se permettait rarement un verre de vin ? Mon oncle Fabien ne buvait pas non plus. Antoine, qui venait de mourir parce qu'il l'avait voulu, se contentait d'un apéritif avant le dîner.

C'était Juliette, apparemment, la seule fille de la famille, qui avait hérité des goûts du père Huet et on prétendait qu'elle trinquait, au gros vin rouge, avec ses camionneurs.

Tandis que François posait sur la table des verres en cristal taillé et que tante Juliette se laissait tomber sur une chaise, Floriau tirait sa montre de sa poche.

— Il faut que j'aille à la clinique Saint-Joseph... dit-il en cherchant le regard de sa femme.

Celle-ci comprit.

— Tu peux me déposer à la maison en passant ?

Deux de moins. Nous restions cinq devant les sept verres, tante Juliette, son fils Maurice, ma mère, mon frère et moi. François versait le porto d'une main tremblante de vieillard.

Il y eut un long silence. Ma mère s'était décidée à s'asseoir à son tour, Maurice aussi, cependant

que mon frère et moi restions debout. Par les
deux hautes fenêtres, je voyais les arbres du
quai, l'eau grise du fleuve où le vent soulevait de
petites vagues blanchâtres, des gens, sur le pont,
qui passaient en portant des chrysanthèmes.

Ma tante soupira, tendit la main pour saisir un
verre.

— A votre santé, mes enfants...

Et nous répétions tour à tour, comme les répons d'une messe :

— A votre santé...

— A votre santé...

— A ta santé, Juliette, ajoutait ma mère.

Par habitude, on entrechoquait les verres.
François s'était retiré discrètement dans l'office.
J'ignore ce qu'était devenue la petite bonne que
je n'ai pas revue du reste de la matinée. Peut-
être avait-elle fini par s'endormir, tout habillée,
sur son lit ?

Un portrait grandeur nature de mon oncle, en
robe d'avocat et en toge, avec la cravate de grand
officier de la Légion d'honneur, nous dominait
de son inertie.

— Eh bien, moi, prononçait ma tante après
avoir vidé son verre, je serais curieuse de savoir
quelles manigances il y a derrière tout ça !...

Elle semblait chercher un appui parmi nous.
Nous nous taisions, gênés, même ma mère, qui
n'en pensait pas moins mais qui préférait laisser

à une vraie Huet la responsabilité de la première offensive.

— C'est quand même curieux, poursuivait Juliette, que mon frère ait fait ça justement un soir que Colette était sortie avec ce Floriau prétentieux...

Elle se tournait vers mon frère, comme si Lucien était censé en savoir plus que nous.

— C'est vrai qu'ils sortaient beaucoup ensemble ?

Et Lucien de répondre, mal à l'aise :

— Je ne sais pas, tante...

Alors, elle s'en prenait à ma mère.

— Tu connais le restaurant de la Huchette, dans le bois de la Barraude ? Non ! Toi, tu ne sors pas de ton quartier. Il paraît que ce n'est pas seulement un restaurant que fréquentent les messieurs huppés de la ville, mais qu'on y loue des chambres... Un de mes gendres, Ernest, qui possède une carrière non loin de là, prétend qu'il a vu plusieurs fois la voiture de Floriau devant cet endroit... une fois au moins, il a reconnu Colette qui sortait en sa compagnie...

Elle nous regardait à nouveau tour à tour, comme pour nous obliger à prendre position.

— C'est ce garçon-là qui parle aujourd'hui de suicide et d'autopsie... Est-ce que seulement ce serait arrivé s'il n'avait pas couché avec sa tante ?...

Elle se levait, soulagée, se versait un verre de porto qu'elle buvait d'un trait et, se tournant vers son fils, lui commandait :

— Viens, Maurice.

A la porte, elle se retournait, comme prise d'inquiétude.

— Vous restez là, vous autres?

Ma mère se précipitait.

— Non! Je descends avec toi, Juliette...

Il ne restait que mon frère et moi devant les sept verres et Lucien murmurait :

— Il faut que je demande à François le livre d'adresses.

Sans rien dire, je lui tins compagnie.

CHAPITRE III

Même jour, 10 heures du soir

J'AI ÉCRIT LES PAGES précédentes dans le courant de l'après-midi car, deux jours par semaine, le mardi et le jeudi, je n'ai de cours que le matin. Grâce à l'oncle Antoine, j'ai obtenu une place de professeur de dessin à l'École des Beaux-Arts, dont les locaux vastes et froids, aux immenses baies sans rideaux qui donnent sur des cours et sur des toits, font corps avec le musée de peinture.

L'édifice a été construit, en même temps que le Conservatoire et le Grand Théâtre, vers le milieu du siècle dernier, à l'époque où la ville a pris son essor industriel.

Or, malgré les générations d'élèves qui se sont succédé, il n'est pas sorti de l'école un seul peintre de réelle valeur. Quelques-uns ont acquis une célébrité locale et on trouve des toiles des plus anciens dans des maisons comme celle de mon oncle. D'autres sont allés à Paris, ont exposé une fois ou deux au Salon d'automne avant de plonger dans l'anonymat.

J'ai donc donné mon cours, ce matin, à une quarantaine de garçons et de filles, surtout de filles, de seize à dix-huit ans, vêtus de blouses blanches. C'est ce qu'on appelle en langage d'école le cours des plâtres. Mes élèves, d'un bout de l'année à l'autre, copient au fusain des plâtres d'après l'antique, tantôt un pied, une main, puis un torse, enfin une tête aux yeux aveugles d'empereur romain.

Cet après-midi, Irène est sortie pour faire des courses, aller chez le coiffeur, que sais-je encore, et j'en ai profité pour écrire un long morceau.

Nicolas Macherin est venu dîner de bonne heure et il m'a paru engraissé. A cinquante-huit ans, il pèse plus de quatre-vingt-dix kilos et commence à marcher le ventre en avant, les jambes un peu écartées.

Son médecin le supplie de suivre un régime et ne cesse de lui recommander l'exercice, mais il ne prête pas plus attention à sa ligne qu'il ne semble se soucier de sa santé. On dirait qu'il éprouve un certain plaisir à être lourd, presque difforme. Il mange trois fois plus que moi. C'est son grand plaisir dans la vie.

Lorsqu'il dîne chez nous, ce qui lui arrive régulièrement trois fois au moins par semaine, souvent quatre et même cinq, il téléphone d'avance à ma femme pour discuter avec elle du menu.

A l'époque du gibier, en particulier, ce qui est le cas actuellement, il passe souvent aux Halles le matin en se rendant à son bureau et nous fait envoyer des perdrix, des bécasses, une gigue de chevreuil ou de sanglier.

C'est lui aussi qui décide des vins, dont il a d'ailleurs garni notre cave.

Il passe pour être dur en affaires, impitoyable. Ses collaborateurs, ses employés, ses ouvriers tremblent devant lui. Cela tient, à mon avis, à ce que sa face épaisse peut, d'une seconde à l'autre, perdre toute expression. Cela n'arrive jamais entre nous. C'est alors un homme jovial, bon enfant, qu'on est surpris de voir s'amuser d'histoires assez naïves ou grossières.

Mais je me souviens de plusieurs occasions où nous avions des invités, qu'il avait cependant désignés lui-même, car il a horreur des importuns. Si l'un d'eux, trompé par son humeur, essayait, par exemple, de lui soutirer une information financière, ou de tirer un bénéfice quelconque de cette rencontre, il se fermait soudain, se murait ; son regard devenait fixe, comme sans vie, sans la moindre chaleur humaine, et l'importun avait l'impression d'être devenu un objet.

Des gens, je le sais, s'imaginent que, si je m'efforce de faire bon visage en public, chez moi je file doux, que je paie par des humiliations quotidiennes le confort et le luxe dont je suis entouré.

Ils seraient fort surpris de nous voir tous les trois à table, ou bien, après le repas, prenant le café et les liqueurs dans le living-room. Qu'on le croie ou non, il n'existe aucune gêne entre nous.

Ce soir, peut-être parce qu'il y a exactement une semaine que mon oncle Antoine est mort, la conversation est venue sur celui-ci. Nicolas Macherin l'a bien connu. Ils vivaient dans le même milieu, se rencontraient dans des endroits auxquels je n'ai pas accès et dont je n'ai qu'une idée assez vague.

— J'ai eu plusieurs fois recours à lui, a dit Nicolas. En une occasion, il m'a sauvé des dizaines de millions. Sa mort créera un vide, car je ne vois personne qui soit de taille à le remplacer.

Si mon oncle, qui n'avait jamais plaidé aux assises, était peu connu du grand public, il était un personnage important dans une certaine couche sociale, celle où se brassent les grandes affaires, non seulement nationales mais mondiales. Sa spécialité était le droit international et on lui a proposé plusieurs fois de faire partie de la Cour de Justice de La Haye.

Il était moins avocat que juriste et les affaires dont il s'occupait allaient rarement jusqu'aux tribunaux civils. Deux ou trois fois par mois, il prenait l'avion pour Bâle, Milan, Londres ou Ams-

terdam, sans compter Paris où il occupait toujours
le même appartement dans un hôtel discret de la
rive gauche.

Cette partie de la vie d'Antoine échappait à la
famille. Nous le considérions cependant comme
notre grand homme. C'était à lui que nous nous
adressions, pudiquement, dans les moments diffi-
ciles.

Il nous recevait cordialement. L'idée ne lui
serait pas venue de renier qui que ce fût d'entre
nous, fût-ce Édouard, pour qui il a montré plus
d'indulgence que le reste de la famille.

Il a assisté à tous les mariages Huet, un peu isolé,
dans les banquets, par notre gêne et par notre
respect.

Je me demande maintenant si ce n'était pas lui
qui était gêné de ne pas se sentir de plain-pied
avec nous. Cela lui faisait plaisir, j'en suis persuadé,
de voir entrer l'un de nous dans son bureau. Ses
petits yeux s'éclairaient, comme si, à notre contact,
il retrouvait un peu de son enfance.

— Comment vas-tu, fils ? Et Irène ?

Il n'oubliait aucun nom, ne s'embrouillait pas
dans les ramifications de la famille. Mon frère
Lucien, entre autres, avait été surpris de s'entendre
demander des nouvelles de son dernier-né que notre
oncle n'avait jamais vu et dont il n'avait appris
la venue au monde que par un banal carton.

— Raconte, fils.

Il nous appelait tous fils. Il savait que, si nous étions chez lui, ce n'était pas par hasard, que nous n'étions pas entrés en passant dans l'écrasante maison du quai Notre-Dame.

Lorsque, jeune marié, tirant le diable par la queue, je lui ai parlé de la place de professeur qui était libre aux Beaux-Arts, il m'a simplement demandé :

— Qui s'occupe de ça ?

— Je suppose que c'est le directeur.

Il a secoué la tête.

— Non. Le directeur n'est qu'un sous-ordre. Je suppose que les Beaux-Arts appartiennent à la ville ?

— Je crois.

— Dans ce cas, c'est du maire que tout dépend. C'est un radical-socialiste. Je connais le président de son parti.

Il a décroché le téléphone. Cela se passait, comme on le voit, très au-dessus de la tête d'un obscur candidat-professeur.

L'oncle Antoine ne respirait pas le même air que nous. Il évoluait dans un univers où toutes nos notions devaient paraître ridicules et mesquines. Lorsque, à la mort de l'oncle Fabien, on a contesté à tante Sophie son droit à la pension, à cause de je ne sais quelle subtilité administrative, c'est au ministre en personne qu'il s'est adressé et l'affaire a été arrangée dans les trois jours.

— Vous croyez qu'il s'est suicidé, vous, Nic ?

En tête à tête, Macherin et ma femme se tutoient, il m'est arrivé de les surprendre sans le vouloir. En public, ou seulement devant moi, ils se disent vous sans jamais se tromper. Pourtant, Nicolas et moi nous tutoyons, sur sa demande, ce qui m'a été longtemps difficile, d'abord à cause de la différence d'âge, ensuite parce que c'est un personnage tellement plus important que moi.

— Il faut le croire, puisque tout le monde est d'accord là-dessus.

— A cause de sa femme ?

— C'est possible. Ce n'est pas nécessairement la raison.

— Quelle autre raison aurait-il eue de se supprimer ? Son médecin affirme qu'il n'avait ni cancer, ni aucune maladie inguérissable. Il n'était pas infirme. Je suppose qu'il n'avait pas d'ennuis d'argent ?

Nicolas s'est tourné lentement vers elle en souriant avec un certain attendrissement, un sourire assez semblable, en somme, à celui que je croyais voir sur les lèvres de mon oncle le matin de la Toussaint. Je crois que ma femme en a été vexée.

— Pourquoi me regardez-vous comme si j'étais une petite fille ignorante qui ne dit que des bêtises ?

— Pour rien. Vous êtes charmante, Irène, mais vous ne pouvez pas comprendre.

— Qu'est-ce qu'il y a à comprendre ? On ne se supprime pas sans raison, si ?

— Il y a tant de raisons pour s'en aller !

— Lesquelles, par exemple ?

Il a eu un geste vague de sa main potelée et il a continué à manger. Comme d'habitude, Irène n'a pas pu se taire. Elle ne laisse jamais tomber une conversation avant d'avoir l'impression qu'elle a gagné la partie.

— Il l'aimait vraiment ?

— Il l'aimait à sa manière.

— C'est-à-dire ?

— Il avait décidé de la rendre heureuse. Il avait besoin de rendre quelqu'un heureux, une personne au moins.

— Pourquoi l'a-t-il choisie, elle, une fille sans aucun équilibre, qui tantôt passait trois ou quatre jours au fond de son lit, rideaux fermés, sans lui permettre d'entrer dans la chambre, tantôt était prise d'une agitation frénétique ? C'était une détraquée, non ?

Toujours avec une ombre de sourire indulgent, comme s'il ignorait que ma femme déteste par-dessus tout l'indulgence, Nicolas répondait en pelant sa poire.

— Je ne sais pas.

— Vous avez dîné souvent chez eux. Vous les avez vus ensemble. Il paraît qu'il arrivait à Colette, devant dix ou douze invités, de se lever de table, et, sans un mot, de monter chez elle pour ne plus reparaître de la soirée. C'est vrai ?

— J'ai assisté une fois à la scène.

— Que disait-il ?

— Il devenait pâle, non pas de colère, comme on pourrait le croire, mais d'inquiétude. Il trouvait, pour ses hôtes, une excuse plus ou moins plausible et, le repas terminé, il montait demander des nouvelles à travers la porte.

— En somme, elle se moquait de lui ?

— Je ne le pense pas.

— Elle ne le trompait pas moins. N'est-ce pas exact que, le troisième ou le quatrième jour d'une fugue, on l'a découverte, malade, dans une chambre d'hôtel malpropre où elle s'était rendue avec un inconnu ? On dit même qu'après la deuxième nuit son compagnon était parti en emportant son sac, ses bijoux et son manteau de fourrure.

— J'en ai entendu parler.

— C'est vrai ou c'est faux ?

— C'est plausible.

— Et vous prétendez que cette femme l'aimait ?

Pour Irène, une telle affirmation était un camouflet. Elle en était humiliée et je la voyais au bord des larmes. Nicolas s'en est aperçu aussi et a essayé d'arranger les choses par des généralités, sans toutefois battre carrément en retraite.

— Il existe beaucoup de sortes d'amour...

— Cette sorte-là vous plairait ?

C'était un défi. La scène n'était pas loin. Or, ils devaient aller tous les deux au théâtre où une tournée donnait un des derniers succès de Paris.

— Personnellement, non. Il y avait de grandes différences entre votre oncle et moi.

Elle n'a pas pu s'empêcher de laisser passer entre ses dents :

— Je l'espère!

Nous avons évité de nous regarder, Nicolas et moi, afin de ne pas attiser le feu par le sourire que nous n'aurions pas manqué d'échanger.

Ma femme est allée se refaire une beauté, prendre son vison. Contrairement à ce qu'on pourrait croire, nous n'avons pas profité de ce que nous restions seuls, Macherin et moi, pour commenter l'incident. Nous ne parlons jamais d'Irène entre nous, ni de rien de ce qui la concerne.

Nous avons tout bonnement échangé des phrases banales au sujet de la pièce qu'ils allaient voir et des chances de neige, car, si la tempête a cessé, s'il ne pleut plus, le ciel est devenu d'un blanc uni. Il est très bas, très lourd et, cet après-midi, peu avant la tombée du jour, il y avait un frémissement dans l'air, une poussière invisible et froide qui pourrait se transformer en flocons.

J'ai dit, tout naturellement :

— Amusez-vous bien.

Après le théâtre, Irène proposera sûrement d'aller boire une bouteille de champagne au

Tabarin, la nouvelle boîte où d'assez bonnes attractions passent jusqu'à deux heures du matin. Je suis donc tranquille dans mon bureau. Le décorateur qui nous a installés a prévu, à mon intention, un petit bureau moderne, confortable, à côté du living-room. Peut-être à cause du bureau de l'oncle Antoine, j'ai insisté pour avoir une cheminée et, de temps en temps, je me lève pour remettre une bûche.

J'aimerais, ce soir, en finir avec la journée de la Toussaint, car d'autres événements se sont passés depuis et je risque de m'embrouiller.

J'ai regardé l'heure à ma montre au moment où François remontait une fois de plus l'escalier après être allé reconduire tante Juliette, mon cousin et ma mère. Mon frère et moi étions sortis de la salle à manger, où nous n'avions plus rien à faire, et nous l'attendions dans le hall du premier, au-dessus des deux volées d'escalier à tapis rouge qu'il gravissait lentement, la tête penchée en avant, de sorte que nous voyions surtout son crâne chauve. Il m'a semblé qu'il se parlait à mi-voix et, je ne sais pourquoi, il m'a fait penser à un sacristain. Il en a le teint neutre, la démarche silencieuse, les gestes pleins d'onction.

Je me disais que le fameux livre d'adresses que

3

nous attendions devait se trouver dans le bureau
de mon oncle, ou dans la longue bibliothèque qui
lui fait suite et que, à cause de ses boiseries et de
ce que je venais de penser de François, j'appelai
à part moi la sacristie. Cela m'excitait de pénétrer
à nouveau dans ces pièces, qui n'avaient toujours
impressionné, maintenant que mon oncle n'y
était plus.

Il m'arrive, lorsque je n'ai rien à faire, d'assister
aux ventes à l'encan, uniquement pour découvrir
l'intérieur des gens, surtout s'il s'agit de gens que
j'ai connus, pour me rendre compte du cadre dans
lequel ils vivaient, des objets dont ils s'entou-
raient.

On a vendu ainsi, un jour, sur le trottoir, le
mobilier d'un vieux juge qui habitait la rue où
je suis né, à deux pas de notre maison.

Enfants, nous nous moquions de ce bonhomme
austère et grincheux qui appelait la police chaque
fois que nous tirions sa sonnette ou que notre balle
de caoutchouc cassait un de ses carreaux. Il était
veuf, vivait avec une vieille domestique. Quelle
n'a pas été ma surprise de découvrir qu'il dormait
dans un grand lit Louis XV, avait un salon couvert
de soie bouton d'or et collectionnait les estampes
galantes du XVIIIe siècle!

Je n'avais jamais vraiment regardé le bureau de
mon oncle, parce que je n'y étais entré qu'en sa
présence et qu'il m'intimidait. J'en gardais des

souvenirs fragmentaires, une impression d'ensemble.

— Dites-moi, François...

Mon frère parlait, toujours en pardessus, comme moi, car personne, dans la matinée, sauf Floriau, n'avait osé se mettre à l'aise.

— Oui, Monsieur Lucien ?

François connaissait la famille aussi bien que mon oncle. Il nous avait vus tout enfants. C'était près de lui que nous nous réfugiions lorsque nos parents étaient en visite dans le bureau.

— Pour envoyer les faire-part, j'ai besoin d'une liste des personnes qui étaient en rapport avec mon oncle. Je suppose qu'il possédait un carnet d'adresses ?

Je crois que Lucien a été aussi dépité que moi quand le maître d'hôtel a répondu :

— Il doit en exister plusieurs, mais je serais incapable de les trouver. Je n'avais le droit de toucher à aucun livre ni à aucun papier. C'est Mlle Jeanne qui est au courant.

Nous n'avions pensé ni les uns ni les autres, dans la bousculade de la matinée, à la secrétaire de mon oncle. Il est vrai que, personnellement, je ne l'aurais pas reconnue dans la rue. Je me souvenais seulement d'une femme assez grasse entrevue dans la bibliothèque lors de mes visites et peut-être deux ou trois fois avait-elle fait une brève apparition dans le bureau.

— Je suppose qu'elle ne viendra pas aujour-d'hui ?

— C'est la Toussaint, monsieur.

— Et demain c'est le Jour des Morts. Elle doit avoir congé aussi.

— C'est probable.

— Vous avez son adresse ?

— J'ai son numéro de téléphone à l'office. Vous voulez essayer de lui téléphoner ?

François ne nous invitait pas à pénétrer dans le bureau. Je suis persuadé qu'il le faisait exprès, qu'il considérait l'endroit comme sacré. Force lui avait été de donner accès aux chambres du second étage, puis à la salle à manger, à l'injonction de tante Juliette. Maintenant que la maison était plus calme, il redevenait le gardien de ses trésors, l'officiant d'une sorte de culte.

Le nom, l'adresse et le numéro de la secrétaire figuraient sur une liste pendue au-dessus du téléphone mural de l'office où nous avions suivi le maître d'hôtel.

— Vous désirez l'appeler ?

Mon frère composa le numéro, attendit assez longtemps.

— Mlle Chambovet ?

La voix, à l'autre bout du fil, était si claironnante que je ne perdais pas une parole.

— Non, monsieur. C'est sa mère.

— Pourrais-je parler à votre fille ?

— Elle ne rentrera pas avant midi et demi ou une heure. Elle est allée au cimetière. De la part de qui?

— Je vous téléphone du quai Notre-Dame.

— C'est M. Huet?

La voix était devenue respectueuse.

— Non. Son neveu. Il est arrivé malheur à mon oncle et j'aurais besoin de voir votre fille le plus tôt possible. J'habite le même quartier que vous. Si vous le permettez, je passerai tout à l'heure.

— Vous ne voulez pas dire qu'il est mort?

— Si.

— Il a eu une attaque?

— Il est mort. A tout à l'heure...

François ne nous retenait pas. Je me demandais s'il aurait le courage de se préparer à déjeuner. On ne revoyait toujours pas la petite bonne qui devait dormir. Est-ce que François, qui ne s'était pas couché de la nuit, n'allait pas se reposer à son tour? J'imaginais la maison avec, seulement, ces deux êtres endormis dans les chambres du troisième étage, sous les toits, les autres étages morts, comme livrés à eux-mêmes.

Il nous suivait vers l'escalier et il me fallut un certain courage pour me tourner vers lui.

— Dites-moi, François, vous qui le connaissiez bien...

— Oui, Monsieur Blaise?

— Est-ce qu'il leur arrivait de se disputer ?
Est-ce que, ces derniers temps surtout...

— Jamais, monsieur.

Il disait cela d'un air presque offensé, comme si
je venais de proférer un blasphème.

— Mais elle ?

— Vous savez comment est Madame. Elle a
ses bons et ses mauvais jours. Ce n'est pas sa faute.

— Elle se montrait désagréable avec lui ?

— A certains moments, elle ne voulait voir
personne. Il lui est arrivé de rester deux jours
dans sa chambre sans manger. Dix fois, vingt fois
par jour, alors, Monsieur me disait :

« — Va écouter, François...

« Il était inquiet, malheureux. Il n'osait pas
monter lui-même, par crainte de l'exciter davantage. Quand je redescendais, il questionnait :

« — Elle pleure ?

« Certaines fois, elle pleurait à s'en déchirer la
gorge, avec des sanglots qu'on entendait du palier.
D'autres fois, elle gémissait doucement, comme un
animal.

« Lorsque je répondais à Monsieur qu'on n'entendait rien, il était encore plus angoissé.

« — Tu as essayé d'ouvrir la porte ?

« — Oui, monsieur. Elle est fermée à clef.

« — Tu as regardé par la serrure ?

« — Oui, monsieur. Madame a l'air de dormir.

« Il lui est arrivé d'interrompre ainsi une conférence importante avec des messieurs venus de l'étranger pour le consulter. »

— Il craignait qu'elle se suicide?

François faisait oui de la tête.

— Elle en parlait?

— Non. Mais elle a essayé deux fois, la première dans la maison qu'elle occupait avant leur mariage, la seconde voilà quatre ans.

— Mon oncle n'a pas été fâché qu'elle aille au concert avec Floriau?

— Au contraire. C'est lui qui a fait retenir des places par M\ulle Jeanne. Vous savez comme il était. Il avait horreur de sortir le soir. Il se rendait compte que Madame avait besoin de distractions et c'est toujours lui qui a invité le docteur à dîner.

— Il n'était pas jaloux?

François a pris un air pudique pour me répondre en baissant les yeux :

— Je ne sais pas, Monsieur Blaise.

François a été marié, il y a plus de quarante ans, à une femme de chambre de mon oncle qui est morte en couches en même temps que son enfant et je me demande si, depuis, il lui est arrivé de toucher une femme.

— Il ne vous a rien dit, hier, qui expliquerait...

— Non, monsieur.

— C'est vous qui avez servi le dîner?

— Oui, monsieur. Ils ont mangé avec M. Floriau, de bonne heure, à cause du concert.

— Comment était mon oncle?

— Comme d'habitude. Ils ont parlé musique pendant tout le repas.

— Mon oncle s'y connaissait en musique?

— Il y a des centaines de disques, là-haut, et il lui arrivait souvent, le soir, tout en travaillant, de les jouer.

— Ma tante était gaie?

— Elle portait une nouvelle robe, jaune safran, et elle a paru heureuse quand M. Floriau l'en a complimentée.

— Il ne faut pas m'en vouloir de mes questions, François. Je cherche à comprendre...

— Tout le monde cherche à comprendre, Monsieur Blaise.

Je me trompe peut-être. En tout cas, sur le moment, j'ai tressailli, car il m'a semblé que le maître d'hôtel donnait un sens mystérieux à ses paroles. A-t-il voulu faire allusion à ma propre situation? Je ne le pense pas. Toujours est-il que sa petite phrase m'a impressionné et qu'en traversant la voûte j'avais un peu froid dans le dos.

— Tu as ta voiture? me demanda Lucien, une fois sur le trottoir où le vent nous happait.

— Non. Je suis venu à pied avec maman.

Lucien n'a pas d'auto. En semaine, pour le service, en cas d'urgence, il se sert d'une des vieilles voitures ou d'une des motos du journal. Autrement, il prend le tram.

Je dis en relevant le col de mon pardessus :
— Je te conduis un bout de chemin...

Il y a longtemps que cela ne nous était pas arrivé de marcher ainsi côte à côte dans les rues. Cela m'a rappelé le temps où, jeune homme, avec un ou deux amis, surtout avec Denèvre, j'arpentais des heures durant les trottoirs de la rue de la Cathédrale et de la rue des Chartreux.

Je n'ai fait que de courts séjours à Paris et dans une ou deux autres capitales. Je n'y ai jamais vraiment vécu. Je crois que ce qu'il y a de plus typique, de plus lancinant, surtout pour un jeune homme, dans la vie d'une grande ville de province, ce sont ces promenades sans fin, sans but, dans les mêmes rues, avec les mêmes étalages qui défilent pendant des années, les mêmes visages que l'on croise.

Avec Ernest Denèvre, qui était mon condisciple à l'école d'architecture, mais qui, lui, est allé jusqu'au bout de ses études, nous ne nous décidions pas à rentrer. Il habitait le quartier opposé au mien, sur la hauteur, pas loin de la maison actuelle de mon frère. Nous sortions du café, de notre café, le Moderne, car chacun, chaque groupe a le sien et n'en fréquente pas d'autre. Rue de la Cathédrale, on peut voir ainsi cinq cafés l'un à côté de l'autre.

On passe et on repasse. On regarde à l'intérieur, où les consommateurs paraissent figés devant les tables, où les aiguilles de l'horloge paraissent avancer plus lentement que partout ailleurs.

— Je te reconduis un bout de chemin...

Je me demande ce que nous pouvions nous raconter ainsi, chaque jour, pendant des heures. Nous atteignions l'avenue de la Gare, où Denèvre aurait dû prendre son tram, et c'est lui qui proposait à son tour :

— Je vais jusqu'au pont avec toi...

Ainsi, avant de nous séparer dans les rues de plus en plus vides, où nous finissions par ne plus entendre que nos propres pas, nous reconduisions-nous l'un l'autre deux ou trois fois.

Le jour de la Toussaint, je n'avais pas envie de rentrer chez moi tout de suite. Nicolas Macherin devait déjeuner avec nous et on ne se mettrait pas à table avant une heure, peut-être une heure et demie. Sans raison, ma femme, qui ne va pas à la messe, traîne davantage le dimanche que les autres jours.

Je pense aussi qu'à cause de la mort d'Antoine, de l'espèce de réunion de famille du matin, je me sentais tout à coup plus proche de Lucien. Peut-être même éprouvais-je à son égard un certain attendrissement.

De ceux qui s'étaient trouvés ce matin quai Notre-Dame, des autres dont on avait parlé, il était le plus humble, le plus pauvre, et aussi le plus acharné à bien faire. De tous les Huet, c'est

le seul que je n'aie jamais entendu se plaindre et
le premier mot qu'il me disait sur le quai, en en-
fonçant les mains dans ses poches, le dépeignait
tout entier :

— Heureusement qu'il y a maintenant une
messe à cinq heures de l'après-midi.

Il venait de se charger de toutes les formalités
entraînées par la mort de notre oncle et il pensait
à sa messe.

— Il faudra que je passe à l'Évêché, ajoutait-
il. J'espère obtenir malgré tout des obsèques religieuses.

— L'oncle Antoine ne pratiquait pas. Il n'é-
tait probablement pas croyant.

— Il a suivi les offices tout le temps que sa
mère a vécu, me répondait tranquillement Lucien.

— Cela ne signifie rien.

— Cela peut signifier beaucoup. Je sais aussi
qu'il s'est occupé gratuitement de plusieurs affaires ecclésiastiques.

— Pourquoi penses-tu qu'il se soit suicidé ?

— Je n'essaie pas de comprendre.

— Tu crois que c'est à cause de Colette et de
Florian ? Tu as entendu ce qu'a dit tante Juliette
au sujet de leurs rendez-vous à la Huchette ?

— Je le savais, répondait mon frère.

Nous avions atteint la rue de la Cathédrale,
qui n'avait pas son animation des dimanches et
des jours fériés, non seulement à cause du temps,

mais parce que la plupart des gens, aujourd'hui, allaient au cimetière. Il faisait si sombre que les lampes des cafés étaient allumées et les visages apparaissaient déformés par la buée des vitres.

— Tu ne veux pas prendre un verre?

— Tu sais, avec mon estomac, cela ne me vaut rien...

Car, par-dessus le marché, Lucien souffrait de l'estomac.

— Je me demande, repris-je, si Floriau est vraiment amoureux.

— C'est probable. Notre cousine Monique est une brave fille. Elle a été bien élevée. C'est une excellente maîtresse de maison et une mère de famille exceptionnelle. A n'importe quelle heure de la journée, elle donne la même impression de fraîcheur, de netteté...

— Lui aussi.

— Seulement, il est plus compliqué qu'elle. Il a d'autres préoccupations, d'autres intérêts dans la vie. Colette est musicienne. Elle a fait de la peinture. Elle a tout lu.

Il fut sur le point d'ajouter quelque chose, hésita, et c'est moi qui achevai :

— Et surtout, elle est désirable.

C'est vrai. Ma tante Colette, à quarante ans, est sans doute la femme la plus désirable, la plus excitante de la ville. Je serais en peine de dire à quoi cela tient mais c'est un fait que tous les hom-

mes se retournent sur elle dans la rue et que, chez
tous, naît, pendant quelques secondes au moins,
l'envie de la posséder.

Son regard a toujours l'air de vous faire une
confidence, d'établir, dès le premier abord, un
lien entre elle et vous.

Son corps est souple, délicatement charnu et,
de la voir se mouvoir dans la rue, on ne peut s'empêcher de l'imaginer dans sa chambre à coucher.
Jusqu'à ses cheveux noirs, rebelles, dont une mèche
retombe sans cesse sur sa joue pleine, qui sont les
cheveux les plus volupteux que je connaisse.

Je l'ai désirée aussi. Tout le monde l'a désirée.
Et ce que ma mère appelle sa folie, son instabi-
lité, ses frayeurs subites, cette façon qu'elle a de
se replier soudain sur elle-même comme une bête
qui flaire un danger, ajoute encore à son attrait.

On voudrait lui faire un rempart contre le monde,
la protéger des autres et d'elle-même. C'est le
genre de femme qu'on aurait envie d'enfermer avec
précaution, comme une chose précieuse, dans l'atmosphère raffinée d'un harem.

Est-ce que l'honnête Lucien avait senti cela,
lui aussi? Avait-il eu les mêmes bouffées de désir?
Si oui, je suis sûr qu'il en avait ressenti de la honte
et qu'il s'en était aussitôt confessé.

— La voilà libre. Je ne pense pas qu'on la garde
éternellement à la clinique...

Lucien devinait la question que je me posais.

Qu'allait-elle devenir, livrée à elle-même? Est-ce que, en fin de compte, l'oncle Antoine avait tenu le fameux serment fait à sa mère? Avait-il, au contraire, laissé sa fortune et la maison du quai Notre-Dame à Colette, ou s'était-il contenté de lui assurer une rente?

Floriau ne serait-il pas tenté de jouer jusqu'au bout son rôle de protecteur et, dans ce cas, qu'adviendrait-il de son ménage?

J'étais persuadé, quant à moi, que l'oncle Antoine avait fait choix, délibérément, de notre cousin, pour éviter à sa femme des aventures aussi désastreuses que celle qui avait failli se terminer par un scandale, sinon par un drame, et que tante Juliette, sans indulgence, avait évoquée le matin.

Mais il y avait à peu près trois ans que Floriau était devenu un familier de l'hôtel particulier. Mon oncle, dès ce moment-là, pouvait-il prévoir qu'un jour il préférerait renoncer?

N'était-ce pas, justement, un homme qui voyait beaucoup plus loin que nous, un homme d'une lucidité un peu effrayante?

C'était le jour de la Toussaint, je le rappelle, il y aura demain une semaine, que je me promenais ainsi avec mon frère et que je me faisais ces réflexions. Nicolas ne m'avait pas encore parlé de mon oncle comme il l'a fait ce soir. J'essayais, avec des éléments épars, des phrases de l'un et de l'autre, de me faire une idée.

J'étais assez surexcité, je l'avoue, par ce qui s'était passé et par tout ce que je prévoyais. Un jour, je l'ai signalé en commençant, j'ai écrit mon histoire à moi, notre histoire, à moi, à ma femme et à Nicolas, et on m'en a fait honte, volontairement ou non.

Cette fois, ce n'était plus seulement mon petit monde qui était en jeu mais le cercle de la famille tout entier. Pendant des années, nous avions vécu chacun dans notre quartier, chacun avec nos moyens, nos habitudes, nos soucis, nos joies personnelles, en n'ayant les uns avec les autres que des contacts occasionnels.

Or, voilà que tous les Huet, y compris tante Juliette, dont on n'entendait jamais parler et dont on connaissait à peine les enfants, voilà que tous les Huet, dis-je, se retrouvaient face à face, qu'ils se découvraient à nouveau et qu'ils auraient peut-être à s'affronter.

Cela provoquait chez moi une petite fièvre exaltante en même temps qu'une subtile jubilation. J'aurais voulu courir tout de suite de l'un à l'autre, observer leurs réactions, poser des questions indiscrètes.

Je savais qu'ils me méprisaient, sauf peut-être Lucien, trop bon chrétien pour mépriser qui que ce soit, qui se contentait de me plaindre et de prier pour moi.

Or, Lucien lui-même allait probablement se

trouver dans une situation délicate. Ignorant s'il savait la nouvelle, je n'osais pas lui en parler et c'est lui-même, à l'arrêt du tram où nous attendions, qui a mis la question sur le tapis.

— On t'a dit qu'Edouard est en ville ? m'a-t-il demandé comme incidemment.

— Mère m'en a parlé.

— Il y a déjà plusieurs jours.

— Tu l'as rencontré ?

— Non.

— Il a vu sa femme ?

Le tram arrivait en sonnaillant, rouge et jaune, éclairé, comme les cafés, avec des têtes qui dodelinaient à chaque cahot. Mon frère m'a dit très vite, avant de sauter sur le marchepied :

— Depuis deux jours, il vit chez elle.

Je restai sur le trottoir à regarder la silhouette de Lucien qui fumait sa pipe sur la plate-forme et qui préparait sa monnaie.

CHAPITRE IV

Mercredi, 8 novembre

A UN CERTAIN MO-
ment, comme nous passions, mon frère et moi,
rue Ducale, l'idée m'était venue de l'inviter à
déjeuner au restaurant, d'abord pour le plaisir de
rester en tête à tête avec lui, ce qui nous arrive si
rarement, ensuite, peut-être parce que je n'avais pas
envie de rentrer à la maison, de raconter à Irène et
à Nicolas ce qui s'était passé depuis le matin.

Je me retrouvais inopinément plongé dans la
famille, la mienne, à laquelle ma femme restait
étrangère. Des souvenirs affluaient qu'accentuait
l'atmosphère de Toussaint.

Je ne prévoyais pas encore que je relaterais les
événements que j'étais en train de vivre, de sorte
que je les vivais, si je puis dire, en toute innocence,
sans souci de logique. C'est ainsi que, me retrou-

vant rue Ducale, après avoir accompagné Lucien
jusqu'au tram, j'ai soudain pénétré à l'Hôtel du
Globe où, une fois poussée la porte du restaurant,
j'ai été enveloppé d'une chaleur odorante.

C'était jadis la maison de mon grand-père. Bien
que, depuis sa mort, deux ou trois propriétaires se
soient succédé, peu de chose y ont changé et l'atmosphère est restée aussi bourgeoise et aussi
accueillante.

A cause de la Toussaint, il y avait peu de monde
autour des tables. Les garçons, les maîtres d'hôtel, la caissière ne me connaissent pas et je me suis
installé dans un coin près d'une fenêtre.

Peut-être parce que je n'ai pas énormément
voyagé, le Globe reste pour moi un endroit unique,
au charme désuet, où il fait bon vivre. Bien qu'il
existe trois ou quatre hôtels plus modernes et plus
confortables en ville, dont un tout récemment construit, bien qu'on compte aussi des restaurants plus
renommés ou plus pittoresques, le Globe a gardé,
après tant d'années, sa clientèle sérieuse et cossue,
hommes d'affaires des villes voisines, industriels,
châtelains et gros marchands. En semaine, il est
presque impossible d'y trouver une table et presque tout le monde se connaît, on se salue, on se
lève pour aller serrer des mains.

Il n'y a pas de poutres apparentes au plafond,
de nappes à carreaux rouges, d'ustensiles en cuivre
pendus aux murs. On se croirait dans une vieille

maison de province, une maison de notaire, par exemple, claire et ordonnée.

Après avoir commandé des huîtres et une entrecôte, je me dirigeai vers le téléphone.

— Irène?... C'est moi... Oui, tout s'est bien passé... Enfin! aussi bien que possible...

Sa voix, au téléphone, me surprend chaque fois, me paraît une voix étrangère, plus aiguë et plus sèche.

— Nicolas est arrivé?... Tu l'attends d'une minute à l'autre?... Je t'appelle pour te dire que je ne rentrerai pas déjeuner... Non, je ne suis plus avec ma mère... Je quitte Lucien... Je suis en ville, oui, et il me reste à faire différentes choses...

Elle n'insistait pas, m'annonçait seulement que Nic venait de l'appeler et qu'il comptait l'emmener, après le déjeuner, à Parantray.

— Amuse-toi bien... Entendu!... Si tu n'es pas rentrée, je me mettrai à table... Je ne sais d'ailleurs pas si je serai moi-même à la maison.

Parantray, c'était le château de Macherin, à cinquante kilomètres de la ville, près de Jugny, où les riches chez nous ont leur chasse. Nicolas n'est pas chasseur. Néanmoins, presque chaque dimanche, il emmène Irène là-bas, dans sa Rolls noire conduite par un chauffeur. Il m'arrive de les accompagner, de choisir un fusil dans le râtelier du hall et de me promener dans les bois sans me préoccuper du gibier. Je n'aime pas la chasse non plus. En outre, la campagne me rend triste, presque angoissé.

Je suis rentré dans la salle et je me suis mis à penser à Lucien, à l'invitation que j'avais failli lui faire et qui l'aurait probablement surpris.

Mon frère, en effet, n'est pas l'homme à fréquenter les restaurants, sauf en voyage. Cela reste pour lui un luxe, qu'il doit offrir à sa famille une ou deux fois par an.

Nous avons été élevés tous deux dans cet esprit-là. Nous n'étions pas pauvres. Mon père gagnait convenablement sa vie, mais il n'y en avait pas moins des dépenses qui paraissaient inutiles, des habitudes qui appartenaient à un autre milieu que le nôtre.

Lucien était resté à cet étage social. Il avait même descendu quelques marches.

En dégustant mes huîtres, j'essayais d'imaginer mon grand-père, Jules Huet, petit, râblé, comme l'oncle Antoine, dans cette maison qu'il avait presque créée, qu'il avait en tout cas rendue fameuse et prospère.

Le propriétaire actuel, que je connaissais de vue, ne venait plus saluer les clients ni, leur repas terminé, s'asseoir avec eux pour le pousse-café.

La caissière ne ressemblait pas non plus à ma grand-mère. Je ne l'ai connue que vieille femme. Dans notre album de famille, que ma mère conserve jalousement, on voit un portrait d'elle jeune personne à la poitrine haute, aux traits fins, au regard pétillant.

Je ne connais aucune photographie de mon grand-père quand il était jeune. Peut-être en trouvera-t-on dans les papiers de l'oncle Antoine ? Il n'y avait que lui, l'aîné, à connaître l'histoire complète de ses parents. Mon père et l'oncle Fabien parlaient assez peu de leur père. Quant à tante Juliette, la cadette, elle doit en savoir encore moins que les autres. En outre, elle n'est presque plus une Huet. Elle est devenue une Lemoine et l'est restée après la mort de son mari.

Pour ma part, je ne connais que les grandes lignes. Mon grand-père était né de paysans assez pauvres, sur le plateau de Berolles, la partie la plus aride du pays, à une vingtaine de kilomètres de la ville. Il avait des frères et des sœurs, mais je n'en ai jamais entendu parler. Chaque fois que je traverse le village, je regarde l'enseigne en tôle découpée de l'auberge qui porte le nom de Félicien Huet.

Très jeune, mon grand-père a travaillé comme garçon dans un de ces cafés, aux environs des Halles, où bouchers et maraîchers ont l'habitude de casser la croûte dès le lever du jour. Ces restaurants-là, quelques-uns d'entre eux, tout au moins, existent encore, mais j'ignore duquel il s'agit.

Il est parti pour Paris au moment de l'Exposition Universelle, a travaillé dans un des restaurants de l'Exposition et on affirme dans la famille que, ne dépensant presque rien, s'interdisant de fumer, par économie, il est revenu avec un joli magot.

Où a-t-il rencontré ma grand-mère, Antoinette Aupick, de source paysanne, elle aussi, mais d'une famille plus évoluée?

Je m'étonne, à l'instant, du peu de renseignements que nous possédons sur la souche dont nous sommes issus et je regrette de ne pas avoir questionné l'oncle Antoine qui était, j'en suis persuadé, le dépositaire de ces secrets.

Il est né, lui, en 1888, alors que son père avait vingt-quatre ans, sa mère vingt et un. Il a donc partagé leur existence avant qu'ils s'installent à l'hôtel du Globe.

Comment mon grand-père a-t-il pu, assez jeune, acheter cet hôtel? A-t-il commencé par n'en être que le gérant? Une banque locale lui a-t-elle prêté la somme qui lui manquait?

Mon père aussi est né ailleurs, rue du Clou, au second étage d'une vieille maison, mais il a quitté ce logement dès l'âge de cinq ans, de sorte que tous ses souvenirs se rapportaient à l'hôtel de la rue Ducale. Comme son frère Antoine, comme Fabien, il a conservé jusqu'au bout une grande tendresse, sinon de la vénération, pour sa mère qu'il allait voir au moins trois fois par semaine.

Personne de la famille ne m'en a jamais parlé

aussi nettement, mais j'ai lieu de croire que, de
Jules Huet et de sa femme, c'était celle-ci la plus
active, la plus solide et la plus intelligente.

Son affaire une fois en train, mon grand-père,
lui, s'est mis, me semble-t-il, à mener la bonne vie
tandis que ma grand-mère veillait à tout, aux
draps des chambres, au personnel, à la cuisine.

Comment trouvait-elle le temps de s'occuper de
ses quatre enfants et de leur faire réciter leurs
leçons? Comment, dans le va-et-vient incessant
d'un hôtel, parvenait-elle à préserver la vie familiale? C'est pourtant un fait, qui explique l'admiration passionnée de l'oncle Antoine pour sa mère.

Un autre point reste assez trouble. Pourquoi,
comment, à la mort du père, la famille s'est-elle
trouvée pratiquement ruinée? Antoine, à cette
époque, avait trente ans et faisait son stage chez
un avocat qui était aussi sénateur. Mon père, plus
jeune, venait de passer quatre ans de guerre au
front et à l'hôpital, car il avait été gazé. Ni lui, ni
son frère Fabien, qui rentrait d'Allemagne où il
avait été prisonnier, ne se destinaient à l'hôtellerie.

L'affaire, jusqu'alors, avait semblé prospère.
L'hôtel et le restaurant ne désemplissaient pas.
Or, il n'y avait en caisse aucun fonds de roulement;
de nouveaux créanciers surgissaient chaque jour
et il a fallu vendre.

En somme, des quatre enfants, seul l'aîné,
Antoine, avait une situation. Seul il avait pu, au

temps des vaches grasses, terminer des études
coûteuses. Seul des garçons, enfin, il avait, pour
des raisons que j'ignore, échappé au service mili-
taire.

S'il a réellement promis à sa mère que sa fortune, après lui, irait aux Huet, je me demande
si je ne viens pas d'en fournir la raison. C'était
un peu comme si, pour avoir été plus avantagé que
les autres, il leur devait une compensation — à
eux ou à leurs enfants. Cela expliquerait aussi que,
malgré sa situation, il nous ait toujours reçus avec
une patiente bienveillance.

C'est lui qui, Fabien se retrouvant sans métier,
sans connaissances spéciales, l'a fait entrer au
service des eaux de la ville où, grâce à sa protec-
tion, il n'a pas tardé à devenir chef de bureau. Il
a aussi aidé mon père à monter son bureau d'architecte. Enfin, je l'ai dit, c'est par lui que j'ai
obtenu une place de professeur de dessin.

Curieusement, cette heure que j'ai passée, seul
dans mon coin, ce jour-là, a été une des plus
pleines de ma vie. Il me semble que j'ai senti des
choses que je suis incapable d'exprimer, des liens
subtils entre les hommes, les générations, les des-
tinées des uns et des autres.

Moi qui bois fort peu, d'habitude, j'avais pris un
porto quai Notre-Dame et j'en avais commandé
un autre en attendant les huîtres. On m'avait
servi ensuite, avec l'entrecôte bordelaise, une demi-

bouteille d'un bourgogne chaleureux et, les paupières picotantes, je regardais les visages autour de moi comme dans un rêve. Lorsque le sommelier m'a proposé un armagnac, je n'ai pas été capable de refuser et on me l'a servi dans un grand verre à dégustation.

J'avais l'impression, tout en restant moi-même, de mener plusieurs vies à la fois, d'endosser des personnalités différentes qui me semblaient soudain comme fraternelles. J'ai même commandé un cigare, ce qui m'arrive rarement, parce que je voyais un vieil habitué, devant moi, en allumer un avec béatitude et que cela me rappelait les cigares de l'oncle Antoine.

Je devais avoir un sourire bienheureux tandis que je m'enveloppais de fumée et que je plongeais de temps en temps le nez dans mon immense verre.

J'étais partout à la fois. Il me semblait voir, chez moi, ma femme et Nicolas en tête à tête, elle un peu soupçonneuse, prête à prendre la mouche, car elle a toujours l'impression qu'on se moque d'elle ou qu'on la croit incapable de comprendre. Ils ont une façon particulière de se disputer, tous les deux. Lui ne bronche pas. Il la regarde s'exciter, finit par taper du pied et il y a seulement son œil qui pétille tandis que sa bouche, au contraire, prend une expression navrée.

Ma mère devait déjeuner seule dans son appar-

tement, attendant le moment d'aller raconter les
événements du matin aux voisines.

Elle est née dans une quincaillerie de l'étroite
rue du Petit-Vert, dans le quartier Saint-Éloi,
qui est un des plus populeux de la ville. Mon père,
en l'épousant, l'a en quelque sorte transplantée
dans le quartier Saint-Barbe, plus calme et plus
bourgeois avec ses maisons neuves.

A peine était-il mort et l'avions-nous quittée,
mon frère et moi, qu'elle retournait à ses origines,
s'installait à deux pas de la rue du Petit-Vert et
renouait avec des gens qu'elle n'avait pas vus
pendant vingt ans.

Elle n'en continue pas moins à tenir ce que
j'appelle le registre des Huet, à les voir de temps
en temps, à s'occuper de leurs faits et gestes. C'est
encore de moi, à cause de Nicolas et de ma femme,
qu'elle s'occupe le moins. Je me demande ce qui
arriverait si elle se trouvait tout à coup face à
face avec Irène.

J'ai pensé à l'oncle Fabien aussi en sirotant mon
armagnac, à moi-même quand j'avais seize ans,
puis vingt ans, vingt-quatre, à moi encore, des
jours comme celui-ci par exemple, arpentant seul
les rues de la ville aux magasins fermés et m'arrêtant, par ennui, devant les étalages.

Je suis resté longtemps sans amis parce que, ne
sachant pas ce que je voulais devenir, je ne voyais
aucun groupe auquel m'intégrer. Je vais écrire une

chose paradoxale, une phrase qui m'est venue à l'esprit, ce jour-là, au restaurant du Globe et qui, sur le moment, peut-être à cause de ma demi-ivresse, m'a paru profonde : *j'étais trop ambitieux pour l'être !*

Cela me paraît moins clair à présent, mais je n'en retrouve pas moins ma pensée. Cette ville, ces rues où je me promenais sans fin, ces visages toujours les mêmes, ces noms sur la vitrine des magasins m'inspiraient, en plus d'un ennui quasi douloureux, un désir de fuite, de fuite n'importe où, de fuite aussi irraisonnée que quand, en rêve, on se sent poursuivi.

Or, comme dans les rêves aussi, mes pieds restaient cloués au sol et je me sentais incapable d'aller de l'avant.

Je peux dire que j'ai passé mon adolescence, surtout les dimanches, à promener mon ennui et mon écœurement avec une sorte de volupté.

J'aurais voulu échapper à cette vie provinciale dans laquelle je me sentais englué. J'aurais voulu atteindre à une position exceptionnelle, monter très haut, plus haut encore que mon oncle Antoine, que je considérais alors comme un triste bourgeois.

Comment ? En suivant quelle carrière ? Je n'en avais aucune idée. J'étais un élève médiocre. Je n'avais aucun talent particulier. Au fond, j'avais déjà la certitude que je ne m'échapperais jamais, qu'à trente ans, à cinquante, à soixante, je sui-

vrais les mêmes trottoirs, m'arrêtant devant les
mêmes vitrines, retrouvant, le soir, dans les rues,
les mêmes fenêtres éclairées d'une lumière siru-
peuse.

Alors, à quoi bon? Faire quoi, pour n'aboutir
à rien?

Un jour, alors que j'avais dix-sept ans et que je
venais de rater mon second bac, j'ai annoncé à
mon père que je désirais entrer aux Beaux-Arts et
devenir peintre. Il ne s'agissait pas d'une vocation.
L'idée m'en était venue la veille en croisant, rue
des Chartreux, une bande de rapins.

Mon père n'a pas sursauté. Il ne sursautait
jamais. C'était un résigné. Il se savait déjà malade.
Son médecin, nous l'avons appris plus tard, lui
avait déclaré franchement qu'il n'avait que quelques années à vivre.

— Entre aux Beaux-Arts si c'est ton goût.
Cependant, comme il est bon que tu aies un vrai
métier, j'insiste pour que tu suives les cours
d'architecture.

Je ne les ai suivis que deux ans, car je n'en-
tendais rien aux mathématiques qui m'avaient
déjà fait rater mon bachot.

C'est là que j'ai rencontré Denèvre et, désormais,
c'est avec lui que j'ai arpenté les rues de la ville,
que je me suis assis des heures durant au Café
Moderne. Denèvre, lui, continuait l'architecture.
Il était laid, plus laid que l'oncle Antoine, adipeux,

la chair jaunâtre. Il avait mauvaise haleine, ne prononçait pas une phrase qui ne fût amère ou sarcastique.

Je me considérais comme un raté. Je m'habituais à cette idée, et n'étais pas loin d'admirer ma propre lucidité, voire d'y puiser un secret plaisir.

Denèvre, lui, jurait de se venger. De quoi ? De tout, y compris, sans doute, de la vie.

Il est aujourd'hui au Brésil, où il a bâti les immeubles les plus modernes dont on voit la photographie dans les magazines. Se souvient-il de nos promenades monotones rue de la Cathédrale et rue des Chartreux ? Se souvient-il de moi, qui suis resté ?

Dans le manuscrit qui m'a été si dédaigneusement renvoyé et que je regrette maintenant d'avoir détruit, je m'étendais plus longuement sur cette période de ma vie, qui permettait de comprendre le reste du récit. On a cru que je m'attendrissais sur mon sort et je peux affirmer qu'on s'est trompé. Je ne suis qu'un médiocre, je le sais, mais un médiocre lucide, je dirais même, sans trop d'exagération, un médiocre satisfait.

En sortant du Globe, j'avais retrouvé la bise, le froid, les silhouettes penchées en avant qui rasaient les murs. Penché, moi aussi, les mains

au fond des poches, le nez glacé, je traversai le
Jardin Botanique. J'étais en état d'euphorie et je
me suis surpris à traîner les pieds dans les feuilles
mortes comme un enfant.

— Lève les pieds en marchant, Blaise, disait
autrefois ma mère.

Boulevard Joffre, un certain nombre de fenêtres
étaient éclairées, car le ciel était de plus en plus
obscur. J'aurais aimé savoir ce que les gens faisaient chez eux un jour comme celui-là. J'ai
toujours été fasciné par les fenêtres, surtout le
soir, quand il n'y a plus que quelques lumières dans
une rue où il ne passe personne.

J'ai dû sonner à la porte de l'appartement ;
je n'avais pas emporté mes clefs et Adèle, la bonne,
est venue m'ouvrir, une assiette humide et un
torchon à la main, car elle était occupée à faire la
vaisselle.

— Madame est partie ?

— Il y a environ vingt minutes.

— Tout s'est bien passé ?

— On vient de vous appeler au téléphone.
M. Lucien. Il voudrait que vous le rappeliez dès
votre retour.

— Chez lui ?

— Il ne l'a pas dit.

Je retirai mes gants, mon manteau, mon chapeau, que je laissai dans l'antichambre. En traversant la salle à manger, je retrouvai un peu du

parfum de ma femme et c'est du living-room que j'appelai mon frère.

— Je suis content que tu sois rentré. On m'a dit que tu déjeunais en ville, mais on ne savait pas où et je tenais à te mettre au courant.

Je ne lui avouai pas que j'avais mangé solitairement au Globe.

— Il se passe du nouveau?

— J'ai vu la secrétaire, Mlle Jeanne, qui est une personne pleine de sang-froid et qui connaît son affaire. C'est une chance que François nous ait adressés à elle.

— Pourquoi?

— Parce que nous aurions risqué de nous y prendre de travers.

« — Vous avez averti le notaire? m'a-t-elle demandé après le premier moment d'émotion.

« — Pas encore.

« — On a posé les scellés?

« Nous n'y avons pensé ni les uns, ni les autres. Or, on se trouve devant une succession importante. Personne ne sait au juste, sauf peut-être le notaire, ce que contient le testament. Tu comprends? »

— Je comprends! dis-je.

Cela m'amusait, tout à coup. Nous avions pataugé toute la matinée dans la maison comme chez nous, sous la surveillance, il est vrai, de François. Celui-ci n'avait-il pas été le premier à se méfier et à nous empêcher d'aller prendre le carnet d'adresses dans le bureau de mon oncle?

Il nous renvoyait prudemment à la secrétaire. Mlle Jeanne, à son tour, nous renvoyait au notaire.

J'objectai :

— Je suppose que son étude n'est pas ouverte aujourd'hui.

— Bien entendu. Mais Mlle Jeanne m'a donné le numéro de sa villa, à Corbessière, et je l'ai eu au bout du fil. Il s'appelle Gauterat...

— J'ai déjà vu son étude quai Colbert...

— Oui... Il m'a laissé parler... Il m'a l'air d'un homme froid, précis... Lorsque je lui ai demandé s'il était nécessaire d'apposer des scellés, il a déclaré sèchement :

« — Sans aucun doute! Tant que le testament n'a n'a pas été ouvert, les biens doivent être protégés. Je ne comprends pas que le commissaire de police n'ait pas soulevé la question... »

— Sur quoi va-t-on apposer des scellés? demandai-je. Sur la maison?

— Sans doute à la porte des pièces principales qui pourraient contenir des documents ou des objets de valeur.

— Quand cela doit-il avoir lieu?

— A quatre heures, cet après-midi. Mlle Jeanne et moi avons rendez-vous avec le notaire et, si j'ai bien compris, un huissier, à moins que ce ne soit quelqu'un de la police, quai Notre-Dame. Je voulais te prévenir, pour le cas où tu désirerais t'y trouver aussi.

— A quoi bon?

— J'ai essayé de toucher Floriau. Monique me dit qu'il n'est pas rentré déjeuner, qu'il est toujours à la clinique où il semble y avoir des complications.

— Lesquelles?

— Je ne sais pas au juste. On ne peut évidemment pas y garder Colette de force. Si j'ai bien compris, elle refuse d'y rester seule.

— Autrement dit, elle voudrait garder Floriau auprès d'elle?

— C'est possible. Cela se complique du fait que le médecin légiste insiste pour que notre cousin assiste à l'autopsie et qu'il l'attend à trois heures à la morgue...

— C'est compliqué, en effet! dis-je avec bonne humeur.

J'ajoutai après un temps :

— Le notaire a l'air de connaître le contenu du testament?

— En tout cas, il prend la chose très au sérieux. J'ai eu l'impression qu'il s'attendait à des difficultés... A propos...

Il y eut un silence.

— Quoi?

— Rien... Elle me faisait signe de ne pas t'en parler... Maman est ici...

4

J'aurais dû le prévoir. Du moment que Lucien était chargé quasi officiellement des formalités, ma mère prenait à peine le temps de manger et se précipitait chez lui.

— Dis-lui bonjour de ma part.

— Elle demande si tu es allé au cimetière.

— J'irai demain matin.

— Alors, tu ne seras pas à quatre heures quai Notre-Dame ?

— Non ! Téléphone-moi plus tard et dis-moi ce qui se sera passé...

Je raccrochai. Je n'avais pas allumé les lampes et mes yeux clignotaient. Je me suis étendu tout habillé sur le divan du living-room, face à la pâleur de la fenêtre, et je n'ai pas tardé à m'endormir.

Je gardais pourtant conscience de l'endroit où j'étais, de l'heure, des allées et venues d'Adèle dans la cuisine. Je restais au centre du monde, d'un monde de plus en plus flou où mon corps, le rythme de ma respiration et de mon pouls prenaient peu à peu une importance capitale.

Pendant assez longtemps, j'ai eu sur la rétine l'image de Colette, d'une Colette que j'imaginais dévêtue et je m'efforçais, dans ma torpeur, de reconstituer les détails de son corps.

J'aurais pu l'avoir, moi aussi, comme n'importe quel homme. Si je n'ai pas fait ce qu'il fallait pour ça, c'est d'abord faute d'occasion, ensuite par crainte de me créer des complications. Peut-être aussi à cause d'oncle Antoine, par esprit de famille ?

Colette n'est pas responsable. Qu'un homme lui mette une image érotique sous les yeux, ou simplement prononce devant elle certains mots évocateurs et le déclic se produit, elle perd le contrôle d'elle-même. J'ai parlé de son cas avec un ami médecin, pas Floriau, bien entendu, et ce qu'il m'a dit m'a fait comprendre bien des choses.

Cela ne m'a-t-il pas fait comprendre, en particulier, l'attitude de mon oncle à l'égard de sa femme ?

Mon ami a fini par me déclarer :

— Ce qu'il y a le plus à craindre, si elle possède la personnalité que vous dites, c'est qu'elle finisse par se suicider.

Elle avait tenté de le faire la nuit précédente, pour la troisième fois, paraît-il, mais c'est mon oncle Antoine qui est mort !

J'ai dû sombrer un certain temps dans une inconscience plus complète car, quand j'ai ouvert les yeux, la fenêtre était tout à fait obscure, piquetée des lumières lointaines du parc. Je restai un bon moment alangui, les yeux ouverts. J'hésitai, comme cela m'arrive toujours, par paresse plutôt que par vertu, et finis par presser le timbre électrique qui sonne dans la cuisine.

Avant l'arrivée d'Adèle, j'allumai la petite

lampe, dans l'angle du divan, qui diffuse une lumière orangée. Adèle avait-elle déjà compris ? Elle s'avançait de deux ou trois pas dans la pièce, me cherchant des yeux, disait de sa voix naturelle :

— Ah ! Vous dormiez.

— J'ai un peu dormi. Déshabillez-vous.

Elle a regardé machinalement autour d'elle.

— Tout de suite ?

— Oui.

— Ici ?

Cela n'était pas encore arrivé dans le living-room. J'étais allé souvent la retrouver dans sa chambre. Je l'avais prise aussi dans la nôtre, quand elle faisait le lit, en l'absence de ma femme. Elle ne s'étonnait pas, ne disait jamais non, se contentant de surveiller la porte et d'écouter. En moins d'un an, elle avait eu quatre amants successifs et elle se laissait posséder aussi naturellement qu'elle mangeait. Elle était sans honte, sans dégoûts et, pour elle, un membre d'homme était un membre d'homme.

— Je vous demande seulement une minute, car j'ai une casserole sur le feu...

Elle est revenue l'instant d'après en dénouant déjà son tablier blanc. Puis, avec la même simplicité, elle a passé sa robe noire par-dessus sa tête.

— Je ne ferme pas les rideaux ?

— A quoi bon ? On ne peut rien voir du dehors.

Il me plaisait qu'elle se mette nue devant les

lumières de la ville. Ce n'était pas tant de faire
l'amour que j'avais envie, ni de jouissance, que
de la faire se déshabiller dans le living-room. Malgré mon passage aux Beaux-Arts, où nous voyions
des modèles toute la journée, j'ai gardé la hantise
de la nudité, de certaines attitudes animales, comme
si je me vengeais ainsi de toutes les contraintes.

— Madame ne va pas rentrer?
— Pas avant l'heure du dîner.

Pourquoi me cachais-je d'Irène, qui n'aurait
rien eu à me dire? Je me le suis souvent demandé.
Il y a eu beaucoup d'Adèle dans ma vie, à la maison et au-dehors. Je n'en ai parlé à personne. Je
me cache comme si j'avais honte.

Or, ce n'est pas le cas. Je n'ai aucune honte de
ma vie sexuelle, pas plus que du reste de ma vie,
mais j'ai besoin que cela reste un domaine secret.
Cela m'est-il resté de l'époque où j'allais me
confesser tout de suite après avoir eu des attouche-
ments avec une fille, comme je disais alors?

Je la voyais debout, hésitante, drue et blanche,
les seins épais, un large triangle noir au bas du ventre.

— Qu'est-ce que je fais? demandait-elle.
— Rien. Pas tout de suite...

Elle riait d'un rire hésitant.

— Je reste debout, comme ça?
— Vous pouvez vous asseoir...

Elle le faisait, gauchement, sur l'extrême bord
d'un fauteuil.

— Comme ça?

Combien de fois, pendant mon adolescence, avais-je rêvé de scènes comme celle-ci, qui m'apparaissaient alors comme le comble du bonheur? N'était-ce pas, justement, à cause de ce souvenir que je les répétais?

— Et vous? questionnait-elle. Vous ne vous déshabillez pas?

Non! Ce n'était pas la même chose.

— Je peux me rapprocher?

L'inaction lui pesait. Elle me rejoignait sur le divan et, à cet instant précis, la sonnerie de la porte d'entrée se faisait entendre.

— Madame! s'écria Adèle en se levant d'une détente et en se précipitant sur ses vêtements épars. Qu'est-ce que je vais faire?

— Ce n'est pas elle. Elle a sa clef. Cela doit être mon frère.

Elle se précipitait, toujours nue, vers sa cuisine, vers sa chambre tandis que j'allais paresseusement ouvrir la porte. Je ne m'étais pas trompé. C'était Lucien, qui apportait dans l'appartement surchauffé un peu de l'air frais du dehors.

Il s'étonna de l'obscurité de l'entrée, de la lampe de chevet seule allumée dans le living-room, peut-être aussi de me voir un peu rouge.

— Tu dormais? demanda-t-il devant les coussins affaissés.

— Après ton coup de téléphone, je me suis

étendu pour un moment et je crois que je me suis
assoupi. Quelle heure est-il ?

— Cinq heures et demie. Ta femme n'est pas
ici ?

— Elle est sortie.

Il dut regretter d'avoir posé la question, car
il devinait en quelle compagnie elle se trouvait.
A ce moment, je suis sûr qu'il eut pitié de moi,
une pitié mêlée d'un peu de dégoût involontaire.

Qu'aurait-il pensé s'il s'était trouvé dans la
pièce quelques instants plus tôt ? Est-il arrivé à
Lucien de coucher avec une autre femme que la
sienne ? J'en doute. Pourtant, il ne l'aime pas.
En tout cas, il ne l'a pas aimée au départ. Il l'a
épousée pour avoir un foyer, des enfants, pour
mener une existence selon l'Écriture.

Celle qu'il aimait et que, j'en jurerais, il aime
toujours, c'est Marie Huet, l'ancienne Marie Taboué devenue la femme du cousin Édouard.

— C'est déjà fini ? demandai-je en allumant le
plafonnier afin de mettre mon frère à son aise.

— Oui. Cela n'a pas été très long. Accompagnée
du notaire, Mlle Jeanne est allée dans la bibliothèque chercher deux cahiers d'adresses et je ne
sais quel dossier qu'elle a remis à Maître Gauterat.
Ils se montraient tous les deux très polis avec
moi, mais j'avais l'impression d'être de trop. Il
y avait un troisième personnage, un petit blond
qu'on ne m'a pas présenté et qui a réclamé une

bougie à François. C'est celui-là qui a fait fondre
de la cire rouge, collé des bandes de toile et ap-
pliqué des cachets...

— Sur quelles portes ?

— Sur celles de la bibliothèque et du cabinet
de notre oncle, d'abord. Puis, après que François
eut parlé bas au notaire, sur la porte d'un petit
coffre-fort encastré dans le mur, au second étage,
à la tête du lit, et caché par un tableau. C'est François aussi qui a presque exigé qu'on mette les
scellés sur les armoires de l'office qui contiennent
l'argenterie, après quoi on est descendu au rez-
de-chaussée où deux des salons ont été fermés.

— Le notaire n'a rien dit de spécial ?

— Il m'a demandé des nouvelles de tante Colette
et, quand je lui ai appris que Floriau l'avait fait
conduire à la clinique Saint-Joseph, il a mal caché
son mécontentement. Il a voulu savoir qui était venu
le matin, dans quelles pièces on avait pénétré...

— Il n'a pas parlé d'Édouard ?

— Si. Pour s'informer de son adresse. Je lui
ai annoncé qu'il est en ville depuis plusieurs jours
et je lui ai dit où le trouver.

— Qu'est-ce que cela signifie ?

— Je l'ignore. Tout le temps, comme déjà au
téléphone, il m'a paru soucieux. C'est un homme
qui parle peu et qui répond encore plus sèchement aux questions que notre cousin Floriau. Je
crois qu'oncle Antoine et lui étaient très amis.

« — La police a-t-elle dit quand on pourra reprendre le corps ? m'a-t-il demandé.

« J'ai répondu que non et c'est à Mlle Jeanne qu'il a donné des instructions, toujours à mi-voix, comme si cela ne me regardait pas. A certain moment, il a tiré un agenda de sa poche, l'a consulté et je l'ai entendu parler de samedi pour les obsèques.

« — On pourra procéder à l'ouverture du testament dans l'après-midi, a-t-il ajouté. Mon étude se chargera des convocations... »

« Nous nous sommes retrouvés tous les quatre sur le trottoir et, la main sur la poignée de sa voiture, le notaire m'a dit :

« — Mlle Chambovet se tiendra en contact avec vous. Je suppose qu'elle a votre numéro de téléphone ? »

Mon frère paraissait las, comme après une entrevue harassante. Je le sentais déçu du peu de cas qu'on avait fait de ses services, de ces limbes dans lesquels on repoussait la famille.

— J'ai quand même pu poser une dernière question, soupira-t-il en bourrant une pipe dont le tuyau est réparé avec un fil de fer. Avant que la portière se referme, je lui ai demandé si je pouvais faire en sorte que notre oncle ait des obsèques religieuses.

« — Ce n'est pas moi que cela regarde ! a-t-il répliqué sèchement. Arrangez-vous avec le curé.

« Et il est parti avec la secrétaire. »

CHAPITRE V

Même jour

J'AI DINÉ SEUL ET
Adèle m'a servi aussi naturellement que s'il ne
se fût rien passé l'après-midi. Je n'ai même pas
tendu la main pour caresser sa croupe dure. D'a-
bord, ma femme pouvait rentrer d'un instant à
l'autre, car il est impossible de prévoir quand se
terminent les dimanches de Parantray. Ensuite,
mon désir était passé. N'avais-je pas eu, au fond,
ce que je voulais ?

N'importe quel autre jour, je me serais enfoncé
dans un fauteuil avec un livre, à savourer le calme
autour de moi tandis que tant de gens, malgré le
mauvais temps, s'agitaient en ville. Mais, depuis
le matin, j'étais arraché à ma solitude. J'avais
soudain besoin de contacts, besoin de savoir, tout
au moins, ce que d'autres faisaient à la même
heure.

J'appelai la maison de mon cousin Floriau et c'est Monique qui répondit. J'ai eu tout de suite l'impression, à sa voix, à la façon dont elle choisissait ses mots, qu'elle était découragée, inquiète.

— Ton mari n'est pas là ?

— Je ne l'ai pas revu depuis ce matin. Je n'ai des nouvelles de lui que par téléphone.

— Il a assisté à l'autopsie ?

— Oui. Elle a donné les résultats qu'on attendait. Oncle Antoine a absorbé plus de vingt tablettes de barbiturique. Par contre, alors qu'on le soigne depuis si longtemps pour le cœur, on a trouvé celui-ci en fort bon état pour un homme de son âge. Il aurait pu vivre encore dix ans.

— Et Colette ?

C'est alors, surtout, que la voix devint plus sourde, hésitante.

— Il paraît que, tout à coup, elle s'est montrée calme et raisonnable. Mais elle refuse de rester à la clinique. Le psychiatre, qui est un ami de Jean, se trouve désarmé car rien ne lui permet, dans son état actuel, de la retenir de force. Il n'a pas le droit non plus, sans son autorisation, de lui appliquer un traitement qui diminuerait sa lucidité. Elle est maligne !

Il y avait de l'amertume chez la Monique si sereine qu'on aurait pu donner comme modèle de la bonne épouse, de la bonne mère et de la bonne

maîtresse de maison. Sentait-elle que son mariage
était en danger ?

— Elle va rentrer chez elle ?

— Elle y est peut-être déjà à l'heure qu'il est.
Jean, lui, ne croit pas à ce calme apparent. Il lui
a fallu trouver deux gardes qui se relayeront quai
Notre-Dame. Ce que je me demande, c'est si elle
va le laisser partir...

Irène est rentrée à ce moment, maussade, agressive, et je n'ai pas tardé à raccrocher.

— Alors ? Cet héritage ? Les Huet l'ont-ils ou ne
l'ont-ils pas ?

— On n'ouvrira le testament qu'après l'enterrement.

Elle lançait son manteau sur un fauteuil, se laissait tomber dans un autre, les pieds devant le feu.

— Eh bien, moi, qui suis, dit-on, une femme
intéressée, je trouverais dégoûtant que nous
l'ayons, cet héritage dont on parle depuis si longtemps. Folle ou pas folle, hystérique ou non, Colette a donné à cet homme-là les plus belles années
de sa vie et je ne vois pas pourquoi ce serait vous
qui hériteriez...

Je n'ai pas insisté. Je ne lui ai pas demandé ce
qui l'avait mise de mauvaise humeur. Elle est allée
passer sa robe de chambre. Nous avons lu, chacun
dans notre coin, elle un magazine, moi un livre
de mémoires, et nous nous sommes couchés vers
onze heures.

— Pas ce soir, veux-tu? m'a-t-elle demandé en s'écartant.

Le lendemain matin, le Jour des Morts, je me suis levé avant elle, comme d'habitude, et elle dormait encore, ou feignait de dormir, quand j'ai quitté la maison à neuf heures et demie. Cette fois, je n'oubliai pas la clef de la voiture. Je l'ai sortie du garage et j'ai gagné les quais. La ville avait repris en partie son visage habituel, bien que certaines professions eussent congé. On voyait encore des gens, des fleurs à la main, se diriger vers le cimetière.

C'était exprès que je faisais un détour par le quai Notre-Dame, pour jeter un coup d'œil en passant à la maison de mon oncle.

J'ai eu la surprise de voir une camionnette des pompes funèbres stationnée devant la porte cochère dont les deux battants étaient ouverts. François, vêtu de noir, avec sa cravate-plastron blanche et son crâne blême, se tenait sous la voûte tandis que deux hommes déchargeaient d'énormes ballots de tentures noires.

Qui avait travaillé si vite? Le notaire, Mlle Jeanne ou mon frère? Toujours est-il qu'on allait, d'après ce que je voyais, dresser une chapelle ardente dans la maison.

Je me suis dirigé vers le cimetière. La pluie ruisselait si abondamment sur mon pare-brise que les essuie-glaces s'arrêtaient parfois, comme hési-

tants. Je m'étais muni d'un parapluie. J'ai acheté
un pot de chrysanthèmes à la grille et je me suis
engagé dans les allées couvertes de feuilles mortes.

Des femmes, certaines qui traînaient un ou
deux enfants par la main, quelques hommes seulement, erraient parmi les tombes délavées et je
vis une vieille toute cassée qui bêchait l'argile au
pied d'une croix de bois, sans doute une croix
provisoire.

On a agrandi le cimetière récemment et j'ai eu
du mal à retrouver la tombe de mon père où, sous
son nom, figure la mention : 1893-1943. La tombe
est bien entretenue. J'ai ajouté mes fleurs à celles
qui s'y trouvaient déjà, calé le pot avec une pierre
et je me suis recueilli un moment.

C'est au moment où je me disposais à partir
que j'ai reconnu, à quelques pas, la silhouette, le
visage de Marie, la femme de mon cousin Édouard.

Sous son parapluie, elle se tenait debout, tournée
vers moi, devant une tombe qui ne lui était rien,
un prétentieux monument de marbre rose et,
quand mon regard s'est posé sur elle, elle s'est
avancée bravement.

Ce mot lui convient. Marie, que j'ai toujours
envie d'appeler Marie Taboué, de son nom de jeune
fille, est une personne brave, qui regarde la vie en
face, simplement, sans forfanterie, et qui accepte
le sort, quel qu'il soit, sans rechigner.

Dieu sait si elle aurait eu des raisons de se plain-

dre! Son visage est net, tout est net chez elle. Avec
son manteau bleu, sa toque bleue à liséré blanc
sur la tête, elle faisait penser à une infirmière, bien
qu'à l'hôpital elle travaille à la réception.

— Bonjour, Blaise. Ta maman m'a dit que tu
viendrais ce matin de bonne heure. Comme je devais venir aussi sur la tombe de mes parents, je
t'ai attendu.

— Ton fils n'est pas avec toi ?

On ne croirait pas, à la voir si jeune, et même
si jeune fille, qu'elle a un fils de seize ans et demi,
Philippe, qui vient de passer brillamment son
second bac et d'entrer à l'Université.

— J'aimerais te parler. Tu ne m'en veux pas
de t'avoir attendu ?

Je me doutais du sujet qu'elle allait aborder et
cela risquait d'être long. Nous ne pouvions décem-
ment pas entreprendre un pareil entretien en al-
lant et venant, dans le cimetière, sous nos parapluies.

— Il vaut mieux nous mettre à l'abri.

Nous avons choisi un des deux cafés en face de
la grande grille. Quelques hommes y buvaient,
des femmes avaient apporté leur casse-croûte et
mangeaient devant des bols de café au lait. Il y
avait des traînées d'eau sur le plancher, des cou-
rants d'air, une fade odeur de fleurs flétries et de
terre remuée.

Assis dans un coin assez tranquille, avec pour

voisins un couple de paysans anonymes, nous avons commandé du café puis, une fois servis, observé un assez long silence.

— Il paraît que tu as vu Lucien, hier. Ta mère l'a vu aussi, mais elle n'a guère eu l'occasion de lui parler. Il ne t'a rien dit ?

Je fis non de la tête, ce qui était vrai, car j'aurais été incapable de prévoir la réaction de mon frère.

— Il sait, n'est-ce pas ?

— Oui.

— Il sait aussi qu'il est chez moi ?

— Il l'a appris.

— Je voudrais que tu lui parles, Blaise, et qu'on en finisse avec cette malheureuse histoire. Je comprends ton frère. Je comprends l'attitude de la famille. Et voilà que la mort d'oncle Antoine complique encore la situation !

Elle était émue et sa jolie poitrine, bien ronde, bien ferme, dans un corsage strict, se soulevait à une cadence plus rapide. Elle ne pleurait pas.

— Si tu voyais dans quel état il est !

— Je comprends que tu aies eu pitié, murmurai-je.

C'était maladroit de ma part. J'aurais dû me douter que le mot la blesserait, mais sa réaction a été au-delà de ce que je pouvais attendre. Presque sèchement, elle a prononcé :

— Ne parle pas de pitié, veux-tu, en ce qui me

concerne ? De la pitié, je vous en demande à tous,
surtout à Lucien, qui a le plus de raisons d'en
vouloir à Édouard. Moi, c'est mon mari. C'est le
père de Philippe. C'est le seul homme que j'aie
aimé et je l'aime encore.

Sa voix s'était cassée sur les derniers mots et
elle a détourné un instant le regard. J'avais envie,
pour lui montrer que je la comprenais, de toucher
sa main dégantée.

— Édouard a tous les torts, soit, reprenait-
elle en se redressant, et je ne tente pas de le défendre. Mais est-il juste qu'il n'y ait pas de fin à
sa punition ? C'est maintenant un homme de
trente-huit ans, alors qu'en réalité il n'a plus d'âge.
Quand je l'ai vu, debout sur le trottoir, il y a trois
jours, les yeux fixés sur la maison...

Elle prit son mouchoir dans son sac, le mordilla
pour se calmer les nerfs, pour ne pas éclater en
sanglots et cette fois j'osai avancer la main vers
la sienne dans un geste fraternel.

— Écoute, Blaise ! reprenait-elle plus bas, hale-
tante, en se penchant vers moi, à cause du couple
voisin qui tendait l'oreille. Tu connais Édouard.
Tu te souviens du jeune homme qu'il a été, le plus
beau de vous tous, le plus fier, le plus orgueilleux.
Il en était arrogant et on aurait pu croire que le
monde lui appartenait. Eh bien, l'homme qui
rôdait l'autre jour autour de ma maison n'était
plus qu'une épave et il faisait penser à un

chien efflanqué fouillant dans les poubelles...

« Je savais qu'il était en ville. On m'avait dit qu'on l'avait rencontré dans une rue pauvre, près du canal, où des manœuvres étrangers gîtent à cinq ou six dans la même chambre...

« Je me demandais s'il aurait le courage de se présenter chez moi... Je le souhaitais sans le souhaiter, à cause de Philippe... J'hésitais à lui faire parvenir un message, de l'argent... Mais par qui?...

« J'étais derrière le rideau à le regarder, frileux, replié sur lui-même, tout diminué, et quand son regard s'est arrêté sur la fenêtre, je n'y ai plus tenu, je suis descendue en courant, j'ai ouvert la porte, je lui ai fait signe de traverser la rue...

« Il hésitait. Il a fini par entrer dans le corridor, sans me faire face, et, tout à coup, la porte encore ouverte, je me suis jetée contre sa poitrine en sanglotant... »

La main de Marie était froide dans la mienne. Elle ne pleurait toujours pas, se contentait de renifler.

— Il est malade, comme son père, comme le tien. Il lui arrive d'avoir deux crises par jour et de rester immobile, l'œil fixe, sans pouvoir faire un mouvement. Tu te souviens de ton père, n'est-ce pas? Seulement, lui, il avait quarante-cinq ans quand cela a commencé. Édouard souffre en outre de l'estomac et rejette tout ce qu'il mange...

« J'ai failli aller trouver Lucien. J'ai pensé que
cela le gênerait peut-être. Il a toujours été bon
pour moi. Il ne m'en a pas voulu. C'est lui qui m'a
aidée à obtenir ma place à l'hôpital et Philippe
le considère un peu comme un père...

« Je ne peux pas le laisser repartir, Blaise!
Vois-tu, il est au bout de son rouleau. Tu le connais
assez pour savoir que, s'il lui restait la plus petite
chance, il ne se serait pas humilié en revenant
ici... »

Je n'en étais pas aussi sûr qu'elle. Édouard a
joué d'autres comédies et ce n'est pas la première
fois qu'il promet de changer d'existence. Personnellement, je n'ai aucune animosité contre lui.
Quant à Lucien, je suis persuadé qu'en bon
chrétien il lui a pardonné. Mais n'essayera-t-il
pas de défendre Marie contre elle-même et contre
son mari?

— Pour le moment, il se terre, il se cache, il
refuse de sortir.

— De quoi a-t-il peur?

— Je ne crois pas que ce soit de la peur. C'est
peut-être de la honte. Il sait ce que vous pensez
tous de lui. Il se demande ce qui se passerait s'il
rencontrait l'un de vous, Lucien surtout, dans la
rue. Il veut travailler, car il n'entend pas vivre
à mes crochets...

— Qu'est-ce qu'il a l'intention de faire?

Édouard n'a pas de métier, n'a jamais exercé

une véritable profession de sa vie qui n'a été qu'une
suite d'escroqueries.

— Il fera n'importe quoi. Il m'a avoué qu'à
Londres il a été homme-sandwich. Il lui est arrivé
aussi, certains soirs, d'ouvrir les portières à la porte
d'un music-hall...

Pourtant, Marie avait raison : jadis, il était le
plus beau, le plus ardent, le plus prometteur de
nous tous. C'est le seul brun de la famille, aux
cheveux ondulés, aux yeux bleu foncé, aux traits
fiers de statue grecque.

Il avait tous les talents, toutes les audaces, et
on aurait dit que rien ne lui résistait. Non seulement les femmes étaient séduites, mais les hommes
se laissaient prendre à sa vitalité agressive. C'était,
à vingt ans, un jeune fauve aux dents brillantes
qui, tandis que nous arpentions encore les trottoirs
en élaborant des projets nébuleux, fondait une
revue et trouvait des commandites pour monter
une imprimerie.

C'était la guerre, pas celle de nos parents, mais
la guerre de 1939 et l'occupation. Nous vivions tous
comme au ralenti, avec un poids sur les épaules,
l'angoisse du lendemain, le souci constant de la
nourriture, la peur des déportations.

Seul de la famille, de nos amis, Édouard vivait
comme si l'avenir était à lui. Bien habillé, portant
beau, il fréquentait, de belles filles au bras, les
restaurants de marché noir, tandis que sa sœur,

Monique, qui n'était pas mariée et qui ne connaissait pas encore Floriau, consacrait son temps à la soupe populaire.

Nous n'habitions pas le même quartier, mes parents et moi, qu'Édouard, sa mère et Monique. Mon père, déjà malade, devait mourir en 1943, l'année où mon frère a été déporté et où, pendant deux mois, tout le monde a cru qu'il serait fusillé.

J'avais eu la chance, à la signature de l'armistice, alors que j'étais soldat en Alsace, de ne pas être fait prisonnier et j'avais pu rentrer chez moi. C'était l'époque où, bien qu'ayant abandonné mes études d'architecte, je travaillais avec mon père tout en faisant de petits dessins pour une entreprise de publicité.

Lucien, lui, qui distribuait les cartes de ravitaillement à la mairie, avait une attitude mystérieuse et ce n'est qu'à la Libération que nous avons appris qu'il travaillait pour un réseau de résistance.

Marie Taboué habitait la maison voisine de la nôtre. C'était la fille d'un instituteur resté veuf. Elle avait un frère plus jeune, qui devait périr plus tard dans un accident d'auto, et c'était elle qui l'élevait et faisait le ménage.

Elle était déjà comme je la voyais maintenant en face de moi, dans le restaurant du cimetière, ou plutôt elle n'avait pas changé, elle restait aussi fraîche, aussi droite, aussi émouvante.

Je ne suis pas sûr de n'avoir pas été quelque peu amoureux d'elle, moi aussi.

Lucien, lui, dès l'âge de dix-neuf ans, et bien que son benjamin de deux ans, avait décidé d'en faire sa femme. Nous l'ignorions, mes parents et moi. Mon frère a toujours eu un caractère secret, par pudeur.

Marie Taboué, elle, ne l'ignorait pas. Et elle ne lui avait pas dit non.

Le matin du Jour des Morts, dans ce café habitué à accueillir la foule des enterrements, elle m'a dit simplement :

— J'aimais Lucien comme un frère. Je n'osais pas le décourager, parce que je le respectais trop pour le rendre malheureux. Peut-être, si je n'avais pas rencontré Édouard, l'aurais-je épousé et cela aurait-il mieux valu pour tout le monde...

C'est chez mes parents, chez nous, comme je disais alors, qu'elle a fait la connaissance d'Édouard, et je me demande encore comment cette rencontre a pu se produire, car mon cousin nous fréquentait peu. Pour une raison qui m'échappe, peut-être parce que chacun avait assez de ses propres soucis, les relations familiales s'étaient relâchées pendant la guerre et c'est à peine si je me souviens de rares contacts avec mes tantes et mes oncles.

Il est vrai que, moi-même, je ne partageais
guère la vie de la maison. C'est la période la plus
sombre, la plus vide, la plus angoissante de mon
existence et je n'y pense jamais sans déplaisir. Je
ne voyais aucun avenir devant moi et je n'étais
pas encore résigné.

La philosophie grinçante de mon ami Denèvre,
que je retrouvais presque chaque soir, déteignait
petit à petit sur moi. S'il n'avait que mépris pour
les hommes, il traitait les femmes plus durement
encore, leur vouant une véritable haine et, le
samedi soir, vers neuf heures, il ne manquait pas
de déclarer en regardant sa montre :

— Allons! C'est l'heure de mon égout.

Il n'avait pas de liaison et se contentait, une
fois la semaine, d'aller retrouver chez elle une
prostituée tranquille, prénommée Zulma, qui avait
presque l'âge de ma mère. Elle occupait un logement au premier étage, dans une rue bourgeoise,
et le tenait dans un état de propreté remarquable,
obligeant ses visiteurs à user de patins de feutre
pour ne pas ternir le parquet ciré. Elle était rousse,
avec une chair blême et molle, mais un joli sourire.
J'y suis allé deux ou trois fois, moi aussi.

— Il est comme ça avec tout le monde, ton
ami?

Il paraît qu'il se montrait grossier avec elle,
employant, exprès, les mots les plus orduriers.

J'avais beau vivre à la maison, je n'en faisais

pour ainsi dire plus partie. Je n'avais jamais été très intime avec mon frère, qui avait trois ans de moins que moi. L'idée de me confier à ma mère ne me serait pas venue, même tout enfant. Le milieu de mes tantes et de mes oncles m'apparaissait comme un monde de cauchemar.

C'était la dernière année de vie de mon père. Nous le savions tous. Je passais plusieurs heures, chaque jour, à travailler avec lui dans son bureau. Or, je ne me suis pas une seule fois inquiété de ce qu'il pensait. Il ne me posait pas de questions, lui non plus, ou alors c'étaient des questions vagues auxquelles je répondais encore plus vaguement. De sorte qu'aujourd'hui je me demande quel homme c'était réellement.

Presque tout ce que je sais de cette époque, je le tiens de ma mère, donc de seconde main, et je dois compter sur la déformation inévitable, surtout de sa part.

Pourquoi, ce jour-là, alors que Marie Taboué était à la maison, ce qui lui arrivait souvent, puisqu'elle était notre voisine, pourquoi, dis-je, mon cousin Édouard, qui vivait dans un cercle si différent, a-t-il eu l'idée de nous apporter un kilo de beurre?

Ce n'est pas le geste qui m'étonne, c'est la coïncidence et ce sont surtout ses suites. Le geste était bien de lui. Il avait ainsi des grâces inattendues, des attentions gratuites.

Ce jour-là, je m'en souviens, ma mère préparait des confitures — sans sucre! — et Marie Taboué lui donnait un coup de main, recouvrant des pots de disques de papier transparent trempés dans du cognac. C'était donc en juillet ou en août, vers la fin de la journée, car le soleil pénétrait obliquement dans la cuisine.

Je ne suis pas resté et je le regrette à présent, car j'aurais assisté au choc qui s'est produit entre Édouard et notre petite voisine. Elle a affirmé à Lucien, plus tard, qu'elle avait aimé Édouard dès ce jour-là et qu'elle n'avait plus pensé qu'à le revoir.

Le malheur, c'est qu'elle ne l'a pas dit à mon cousin. Elle luttait encore contre elle-même et elle lui a laissé entendre qu'elle était la fiancée de Lucien.

Toujours est-il que, pendant quelque temps, on a revu Édouard assez souvent à la maison, presque toujours porteur de victuailles. Il avait un projet dont je n'ai connu que les grandes lignes, par les uns et les autres, car il ne me faisait pas de confidences.

Dès le début de l'occupation, *le Nouvelliste*, le seul journal de la ville, s'était sabordé, comme on disait dans ce temps-là. C'était une feuille conservatrice, vieillotte d'aspect, réalisée, avant la guerre, par deux ou trois rédacteurs blanchis sous le harnais.

Édouard, qui avait une imprimerie et qui publiait déjà une petite revue, pensait à l'après-guerre et préparait un journal moderne qui aurait concurrencé *le Nouvelliste* et l'aurait peut-être empêché de reparaître.

Il avait trouvé un certain nombre d'appuis, ce qui donne la mesure de son entregent à cette époque, car il avait à peine vingt-quatre ans. Ma mère prétend qu'oncle Antoine lui-même le soutenait et s'était porté garant de lui auprès de plusieurs personnalités locales.

Or, en septembre, brusquement, quelques semaines après l'histoire du kilo de beurre, donc après la rencontre, chez nous, de Marie Taboué et d'Édouard, la police allemande a fait irruption chez nous, fouillé la maison de la cave au grenier et, après avoir bousculé durement mon père, emmené Lucien.

Le même jour, six autres personnes étaient arrêtées, avec lesquelles mon frère était en rapports, entre autres un marchand d'appareils de radio de la rue Poincaré qui, lui, devait être fusillé.

Un mois plus tard, après être restés sans nouvelles, nous apprenions que mon frère et ses compagnons étaient au camp de Buchenwald.

Cet événement a-t-il hâté la fin de mon père? C'est possible. Il est mort, dans son bureau, trois jours après ce message, de sorte que Lucien ne l'a pas revu.

Six mois ne s'étaient pas écoulés qu'Édouard épousait Marie Taboué. Ma mère laissait entendre qu'elle était enceinte, ce en quoi elle ne devait pas se tromper, puisque Philippe est né bien avant le terme normal.

Nous ne l'avons pas écrit à Lucien, dont nous recevions peu de nouvelles, presque toujours indirectement. On attendait l'offensive annoncée par la radio de Londres. Des affiches préparaient le départ de tous les hommes valides en Allemagne, de sorte qu'on vivait dans des alternatives d'espoir et de terreur.

Tout un temps, je suis allé coucher chaque soir chez une amie de ma mère qui possède une petite ferme à cinq kilomètres de la ville, au-delà des Bois de la Barraude. Je m'y rendais à vélo, en faisant un détour pour éviter le passage à niveau.

Le débarquement a eu lieu, Paris a été libéré, puis notre tour est venu. Édouard vivait avec sa femme et le bébé dans la maison qu'il avait louée, non loin de chez nous, et que Marie et Philippe occupent encore.

Pourquoi, du jour au lendemain, a-t-il disparu? Le mariage, c'est certain, ne l'avait pas rendu moins coureur. Il passait souvent ses soirées et une partie de ses nuits dans une petite boîte, la seule alors ouverte et assez mal fréquentée, et on a prétendu qu'il était tombé amoureux d'une chanteuse parisienne connue sous le nom de Choupette.

Je suis effaré, quand j'y pense, de la masse d'informations de toutes sortes recueillies par ma mère. Que ce soit sur l'un ou sur l'autre membre de la famille. On peut lui parler de n'importe qui, elle connaît, dirait-on, son comportement le plus secret.

Et il ne s'agit pas seulement de potins, j'ai eu l'occasion de m'en rendre compte. Elle parle d'ailleurs assez peu de ce qu'elle sait, et seulement quand elle le veut, pour une raison déterminée.

Cela tient, je crois, à ce que ma mère possède ce qu'on pourrait appeler le sens du malheur. Elle flaire la catastrophe de loin et, dès qu'un événement désagréable se produit chez l'un ou chez l'autre, on est sûr de la voir apparaître, comme le matin de la Toussaint elle a été la première à surgir chez moi.

C'est elle aussi qui se charge des démarches délicates ou pénibles, qui garde un enfant malade ou va faire le ménage d'une parente, voire d'une voisine alitée.

Même si on ne se confie pas à elle, elle n'est pas longue à découvrir la vérité ou ce qu'elle prend pour la vérité.

En ce qui concerne Édouard et sa femme, elle a dit, dès le début :

— Le ménage ne durera pas, Marie est trop droite, trop naïve. C'est par naïveté qu'elle lui a donné ce qu'il a voulu, sans se douter que, de sa part à lui, ce n'était qu'un caprice.

Toujours est-il que mon cousin a quitté la ville, un beau soir, en même temps que Choupette et, des mois plus tard, on nous a dit l'avoir rencontré à Paris.

Il commençait, à ce moment, à courir des bruits sur son compte. On en a même parlé au comité d'épuration qui s'était constitué dès le départ des Allemands. Il était à peu près établi qu'Édouard s'était livré au marché noir sur une assez grande échelle, mais on s'étonnait surtout de son impunité. S'il ne s'était jamais affiché avec les occupants, certains murmuraient qu'il n'en avait pas moins eu des rapports secrets avec eux.

On a dit la même chose, il est vrai, de gens parfaitement innocents et certains ont été arrêtés. On a tondu des femmes qui n'avaient rien fait.

Ce qui est sûr, c'est que, après le départ de mon cousin, on a découvert qu'il devait de l'argent à tout le monde et qu'il avait emporté les fonds de ses commanditaires. Pourquoi ceux-ci n'ont-ils pas porté plainte ? Je ne puis que répéter que j'ai traversé cette période sans m'occuper des autres et que la famille était alors le dernier de mes soucis.

Lucien est rentré d'Allemagne, amaigri, mal portant, et a été pendant deux mois incapable de faire un repas normal, tant son estomac s'était déshabitué de la nourriture.

Bien entendu, il a appris que Marie s'était mariée pendant son absence, qu'elle avait un enfant et qu'Édouard avait quitté la ville.

Il ne s'est pas confié à moi. Grâce à l'oncle Antoine, il est entré au *Nouvelliste* et nous ne l'avons presque plus vu à la maison.

C'est un ami de notre père, un nommé Lautrade, employé à la Préfecture, qui a découvert la lettre. On l'avait chargé du dépouillement des tonnes de papiers abandonnés par les Allemands de la Kommandantur. Après plusieurs semaines, il était tombé sur une lettre anonyme dénonçant Lucien comme membre d'un réseau de résistance.

A la suite de cette lettre, mon frère avait été suivi à son insu pendant plusieurs jours, ce qui explique les arrestations effectuées le même jour que la sienne.

A la vue du document, mon frère a tout de suite reconnu l'écriture d'Édouard. Pour une fois, il m'a mis dans le secret, craignant de se tromper. Nous avons comparé ensemble le billet avec d'autres écrits de notre cousin et aucun doute n'était possible.

Maintenant, en face du cimetière, Marie me disait, les mains jointes dans un geste suppliant :

— On ne peut pas payer toute sa vie, Blaise !... Il y a un moment où... Parle à Lucien, veux-tu ?... S'il le désire, j'irai le voir... Je lui répéterai ce que je viens de te dire... Je me mettrai à genoux...

— Il n'y a pas seulement Lucien...

Comment la fuite s'est-elle produite ? Est-ce par

ma mère? Lautrade a-t-il parlé? Toujours est-il
que, depuis des années, toute la famille et une
bonne partie de la ville sont au courant.

— Si Lucien pardonne, je suis sûre que les autres
n'oseront pas...

Elle étreignait si fort ses doigts entrelacés qu'ils
en devenaient blêmes.

— Tu comptes reprendre la vie commune?
questionnai-je.

— C'est mon mari.

— Que dit Philippe?

— Il ne connaît pas son père. Il ne l'a jamais
vu. Je lui ai dit qu'il est dans une chambre du
premier, malade, et c'est vrai, car j'ai forcé Édouard
à se coucher.

— Ton fils ne sait rien?

— Des gens lui ont parlé, c'est fatal. Il a peur
pour moi. Peur que son père me fasse du mal. Je
me demande s'il n'est pas un peu jaloux aussi.
Mais je me charge de lui. C'est Lucien, ce sont les
autres qui m'effrayent. Dans un jour ou deux, je
mettrai Philippe en face de son père. Je l'y pré-
pare...

— Il sait qu'il a fait de la prison?

— On le lui a raconté.

De cela, la ville entière est au courant. Édouard,
depuis son départ, n'a pas seulement vécu à Paris,
mais à Marseille, à Alger, à Bruxelles, Dieu sait
où encore. De loin en loin, sa femme a reçu des

lettres déchirantes dans lesquelles il lui annonçait que, faute d'une certaine somme, qu'il devait rembourser coûte que coûte, il ne lui restait qu'à se suicider.

Lucien a lu ces lettres car, bien que marié quelques années plus tard à une amie d'enfance, Thérèse Bourdillat, il est resté le confident et le soutien moral de Marie.

Il lui rend souvent visite, comme on rend visite à une sœur, et il suit de près les études de Philippe.

Est-ce contre son avis que Marie a chaque fois envoyé l'argent ? Ma mère a reçu des lettres du même genre, dont une écrite par un soi-disant infirmier l'informant qu'Édouard était à l'hôpital — c'était à Alger, je pense — et qu'il manquait de tout.

Comme Marie, ma mère aussi y est allée de son mandat et elle affirme que l'oncle Antoine a plusieurs fois aidé mon cousin.

A plusieurs reprises, au cours des seize années, le bruit a couru qu'il était en ville. Certains l'avaient vu portant beau, parlant d'affaires mirobolantes qu'il était en train de monter, d'autres, au contraire, miteux, en quête d'un billet de mille francs.

Je profitai d'une pose pour demander à Marie :

— C'est vrai que ce n'est pas la première fois qu'il revient ?

— Il est revenu un fois, voilà dix ans. Il m'attendait à la porte de l'hôpital où je travaille.

— Il t'a demandé de l'argent?

Elle se contenta de battre des paupières.

En Angleterre, où il vivait avec une prostituée notoire, il a été arrêté pour proxénétisme. Il n'est pas impossible, comme je le connais, qu'il ait été amoureux de cette femme, dont j'ai vu la photographie dans les journaux et qui était très belle. Il est vraisemblable aussi qu'il ait vécu à ses crochets, ce qui a été l'avis de la justice anglaise puisqu'elle l'a envoyé en prison pour deux ans.

Y a-t-il eu des hauts dans cette existence dont je ne connais guère que les bas? C'est probable, Édouard étant malgré tout un homme de ressource.

— En somme, dis-je à Marie, tu voudrais que Lucien aille le voir?

— Cela m'aiderait, surtout en ce qui concerne Philippe. Pour mon fils, Lucien est le bon Dieu et, s'il le voit serrer la main de son père...

— Je lui parlerai, promis-je.

Comme je faisais signe au garçon, elle me saisit le bras.

— Attends, murmurait-elle, gênée. Ce n'est pas tout. J'ai pensé que samedi...

Le Nouvelliste du matin annonçait que les obsèques de mon oncle auraient lieu à la cathédrale le samedi à dix heures. Comme je m'y attendais, le journal ne parlait pas de suicide mais « d'une trop forte dose de barbiturique ». Ainsi laissait-on croire que la mort avait pu être accidentelle.

— Toute la famille sera réunie... continuait Marie sans oser me regarder dans les yeux. On sait que mon mari est en ville. Oncle Antoine s'est toujours montré indulgent pour lui. Ce serait l'occasion...

— C'est Édouard qui t'en a parlé, n'est-ce pas ?

Elle était obligée d'avouer que oui. Elle ne savait pas mentir. En outre, cela ressemblait tellement à Édouard! Il revenait, efflanqué, malade, comme une bête qui se traîne vers sa tanière. Il se montrait, aux yeux de sa femme, humble et repentant. Elle l'accueillait, le couchait dans des draps propres et, avant d'avoir fait la paix avec son propre fils, il machinait une sorte de reconnaissance familiale.

Édouard aux obsèques, pâle, sans doute habillé de neuf, c'était le coup d'éponge sur son passé, sa réintégration, non seulement dans son foyer et dans la famille, mais dans la ville.

Je ne pus m'empêcher de soupirer en la regardant avec admiration :

— Ma pauvre Marie...

Elle était assez intelligente pour savoir quel rôle son mari lui faisait jouer et elle le jouait de son mieux. Ne prévoyait-elle pas, comme moi, qu'un jour ou l'autre, si elle réussissait, tout serait à recommencer ? S'imaginait-elle ce qu'allait être

sa vie entre son fils et ce mari qui les avait abandonnés pendant vingt ans et que seule la misère
avait provisoirement changé ?

— Il ne faut pas me plaindre... répondait-elle
en essayant courageusement de sourire. Je te
l'ai dit : je n'ai aimé que lui... Je l'aime encore...

Les mots passaient difficilement dans sa gorge
serrée.

— Viens!... dis-je en lui tendant son sac et son
parapluie.

J'ajoutai à regret :

— J'essayerai!

CHAPITRE VI

Marie n'a pas de voiture, évidemment. Il n'y a pas beaucoup de voitures dans la famille et, sans ma femme, je n'en posséderais pas non plus. Peut-être aurais-je pu, à force d'économies, me payer un scooter?

— Je vais te conduire, dis-je, une fois dehors.

— Je peux prendre le tram, Blaise. Ne te dérange pas pour moi.

— Monte!

Cela m'a valu de retrouver, sous la pluie battante, le quartier de mon enfance, et je me demande pourquoi je ressens chaque fois un certain déplaisir, une angoisse, comme si je risquais d'être à nouveau enfermé dans le réseau de ces rues trop calmes où on ne voit que de loin en loin un passant sur le trottoir, une vieille femme entrouvrant sa porte, un rideau qui bouge.

Nous habitions la rue des Vergers. Marie, en quittant son père pour se marier, n'a eu qu'un coin de rue à tourner, deux cents mètres à parcourir, et la rue des Saules, où elle vit depuis seize ans, est toute pareille à celle où elle est née.

Pourquoi, dans ce quartier-là, tout me paraît-il immobile, comme figé, non seulement les maisons, les fenêtres, mais les bancs, les ormes du square, les gens eux-mêmes que je retrouve faisant les gestes d'autrefois?

Tout a vieilli. Les façades, fraîches et colorées au temps de mon enfance, ont pris de la patine. Des immeubles que j'ai vu bâtir sont déjà surannés. Les habitants, qui avaient l'âge de mon père et de ma mère, sont devenus des vieillards.

Il faudra bien, quand tous les anciens seront morts, que des jeunes les remplacent, à moins qu'on démolisse le quartier pour en construire un autre. Il en est question. Mon père, lui, a connu à cet emplacement de vrais vergers, de vrais saules qui ont laissé leur nom à certaines rues et, quand je suis né, il existait une dernière ferme, avec des vaches, des poules, des cochons, en bordure du canal.

J'ai fait un détour pour ne pas passer par mon ancienne rue. Je me suis arrêté devant la maison de Marie et j'ai machinalement levé les yeux vers les fenêtres du premier étage. Je n'ai vu aucune ombre se profiler.

— Merci, Blaise. Je compte sur toi.

Elle se voulait calme pour rentrer chez elle et parvenait à l'être.

— Je ferai mon possible.

— Merci!

Elle traversait le trottoir en courant, sa clef à la main, tandis que je remettais la voiture en marche.

Chez moi, j'ai trouvé Irène en peignoir.

— Tu es allé au cimetière? Tu n'as pas rencontré ta mère?

— Non. Pourquoi?

— Pour rien.

A demi étendue sur le divan du salon, ma femme se limait les ongles cependant qu'Adèle mettait la table dans la pièce voisine. Irène aime traîner en négligée dans l'appartement, les pieds nus dans ses mules, les cheveux sur le visage, sans rien faire de précis et, lorsque je vais aux Beaux-Arts je suis parfois surpris, rentrant après trois heures d'absence, de la retrouver exactement comme je l'ai quittée.

Elle est restée peuple, dans ses attitudes, dans ses goûts et dans son langage, et cela ne me déplaît pas, au contraire. C'est moi qui l'ai voulu. Je n'aurais pas pu vivre avec une femme comme ma cousine Monique, par exemple, ou même comme Marie, qui m'aurait donné sans le vouloir un sentiment d'infériorité.

Il serait exagéré de dire que j'ai choisi ma femme, exprès, le plus bas possible, presque dans le ruisseau. On ne choisit jamais tout à fait. C'est pourtant le seul genre de femme que je pouvais épouser, ne m'obligeant à aucune contrainte, à aucune comparaison.

Sa mère, la grosse Fernande, poussait une charrette de légumes dans la rue. Le visage couperosé, les hanches énormes, forte en gueule, elle buvait ferme, avec les hommes, au zinc des bistrots. Elle est d'ailleurs morte à l'hôpital au cours d'une crise de delirium tremens, comme les vieux ivrognes.

Elle avait deux filles. Irène, quand je l'ai connue, travaillait chez une fleuriste de la rue de la Poste. Sa sœur était de quatre ans sa cadette et j'avoue que j'ai hésité entre les deux, que j'ai failli choisir Lili. Si je ne l'ai pas fait, c'est qu'elle n'avait alors que seize ans.

Elle a disparu peu après et, que je sache, n'est jamais revenue en ville. Pendant ses trois premières années de Paris, on n'a rien su d'elle. Puis on a reçu un faire-part de son mariage avec un imprésario nommé Bloch.

Elle a eu un enfant de lui, une petite fille, ce qui ne l'a pas empêchée de divorcer quatre ans plus tard pour se marier à nouveau.

Son second mari est un Anglais, Harry Higgins, de la famille des brasseurs. Ils ont un appartement au Trocadéro, un autre à Londres, une vaste pro-

priété dans le Sussex, une villa sur la Côte d'Azur
et on cite souvent leur nom dans les journaux à
l'occasion de soirées de gala à Cannes ou à Monte-
Carlo.

Ma pauvre Irène a eu moins de chance avec moi.
Il est vrai qu'il y a chez sa sœur un pétillement,
une exubérance, une animalité qu'elle est loin de
posséder au même degré.

— Tu ne veux pas me servir un porto, Blaise ?
J'ai presque fini. Plus que deux ongles.

Ce que j'apprécie le plus, c'est que nous ne nous
mettons pas en frais l'un pour l'autre. Je suis aussi
naturel avec elle que je le serais avec un ami, que
je l'étais avec Denèvre, par exemple.

Nous connaissant bien, nous n'essayons pas de
nous cacher nos défauts, encore moins de corriger
ceux du partenaire. C'est ce qui est reposant et ce
que la plupart des gens ne doivent pas comprendre.

Elle avait son regard pointu qui lui vient chaque fois qu'elle s'occupe de son corps, que ce soit
pour se polir les ongles, se maquiller ou se brosser
les cheveux. On sent que c'est sa tâche essentielle
et elle peut y consacrer des heures sans ennui, avec
un fond de radio, une courte pose de temps en
temps pour allumer une cigarette.

Je me servis un porto aussi. Quand je lui ai
passé le sien, nos regards se sont croisés, paisibles.
Et quand elle a parlé, j'ai su à quoi elle avait pensé
pendant la matinée.

— Que ferais-tu, me demandait-elle, si, en fin de compte, tu héritais ?

L'idée ne m'avait pas préoccupé ce matin-là, à cause de Marie, mais je m'étais posé la question la veille en m'endormant et je n'avais pas trouvé de réponse.

— Cela dépend !

Je m'asseyais en face d'elle, mon verre à la main.

— Cela dépend de quoi ?

— D'abord, de la somme dont nous hériterions.

— Tu crois qu'il était très riche ?

Je savais qu'Irène ne parlait pas ainsi par cupidité, que ses questions avaient leur racine beaucoup plus loin.

— Très riche, je l'ignore. Mais rien que la maison du quai Notre-Dame doit valoir une quarantaine de millions. Il possédait certainement des titres. Ma mère prétend qu'il était propriétaire d'autres immeubles. Seulement, une forte somme partagée entre tous les Huet...

— Évidemment !... soupira-t-elle.

Cela signifiait-il que Nicolas Macherin commençait à lui peser ? En tout cas, ce soupir m'a fait plaisir, m'a même procuré une petite émotion agréable.

Contrairement à ce que les gens peuvent penser, j'aime ma femme et je suis persuadé qu'elle m'aime. A sa manière, sans doute. Mais elle ne pourrait pas se passer de moi. La preuve, c'est qu'elle n'a pas fait comme sa sœur et qu'elle est restée.

Nicolas, certes, ne l'épouserait pas. J'ai eu, pendant trois ans, l'occasion de l'étudier et, sur ce sujet, il ne cache pas sa façon de voir. Il n'a aucune envie de se compliquer la vie avec une femme, un ménage, des enfants. Quant aux maîtresses, il en a eu une, jadis, qui l'a échaudé et a failli l'entraîner dans un scandale.

Ses besoins sexuels sont modérés, sa curiosité depuis longtemps émoussée. Il tient à son existence de vieux garçon, de solitaire. Il n'en a pas moins besoin d'un endroit où retrouver, quand il le désire, et seulement alors quelque chose qui ressemble à la chaleur d'un foyer.

Je n'ignore pas que ma mère le traite de coucou et la comparaison n'est pas tellement inexacte. Ma présence à table, lorsqu'il vient déjeuner ou dîner, ne le gêne pas. Au contraire, je suis persuadé que cela l'ennuierait de rester trop longtemps en tête à tête avec Irène, de ne pas sentir autour de lui l'amosphère d'un vrai ménage.

Lucien lui-même doit être persuadé que j'ai accepté par intérêt ce qu'il appelle une situation fausse. Rien n'est plus loin de la vérité, mais je ne me suis jamais donné la peine de m'expliquer avec lui sur ce sujet. Ni avec personne.

Irène me trompait avant de rencontrer Macherin. Lorsque je l'ai connue, je n'ignorais pas qu'elle n'attachait aucune importance aux gestes sexuels

qui lui paraissaient aussi banaux, aussi naturels
qu'à Adèle, par exemple. Plusieurs de mes amis
avaient couché avec elle avant moi et cela ne m'a
pas empêché de l'épouser.

Cela ne signifie pas que je n'étais pas jaloux.
J'espérais, je le confesse, qu'elle changerait d'attitude. Mais je l'aimais pour ses défauts, non pour
ses vertus, et je n'avais aucune qualité pour la
réformer.

Le plus curieux, c'est qu'elle n'a guère de tem-
pérament et je suis persuadé qu'elle n'a jamais
connu de véritable jouissance. Il arrive que cela
l'amuse ; la plupart du temps, ce n'est que l'abou-
tissement inévitable d'une aventure, ou une façon
de payer sa place.

Elle n'est pas ambitieuse à proprement parler
et elle n'envie pas sa sœur, dont le train de maison
et les responsabilités l'effrayeraient plutôt.

Non ! C'est quelque chose de différent. Quand
elle s'ennuie, elle a besoin de bruits, de lumières,
besoin de rire avec quelqu'un qui s'occupe d'elle
et qui lui fait croire à son importance. Peu importe
si cela doit finir sur un lit ! Elle n'y pense pas d'a-
vance et, le moment venu, elle fait ce qu'il faut.

Cela, aucun mari, me semble-t-il, n'est capable
de le lui donner et, la preuve, c'est qu'elle m'a
trompé, pour employer un terme qui me paraît
inexact, dès le premier mois de notre mariage.

A cette époque, elle ne m'en parlait pas encore,

croyait devoir se cacher, et elle s'empêtrait dans ses mensonges.

Un jour qu'elle revenait avec un sac à main neuf, que je la savais incapable de se payer, j'ai compris.

J'aurais pu me fâcher, ou lui faire de la morale, ou la battre. L'aurais-je dû ? Les gens me regarderaient-ils maintenant avec moins de réprobation ? Ou bien, puisqu'il était impossible de la changer, fallait-il divorcer, alors que je ne me sentais pas capable de vivre sans elle ?

Tout cela, je le racontais en détail dans le manuscrit détruit, m'efforçant de décrire les différentes étapes par lesquelles je suis passé. Il paraît que c'était du mauvais goût de ma part, que cela relevait de l'exhibitionnisme.

Comprend-on mieux à présent pourquoi je me suis toujours intéressé particulièrement à mon oncle Antoine ? Sa situation n'était pas la même que la mienne, mais il n'en existe pas moins, dans nos attitudes respectives, des points communs.

Colette n'est pas une fille de la rue comme Irène. Elle sort d'une excellente famille du Midi, de Nîmes, je pense, et elle a reçu une éducation raffinée.

Antoine Huet l'a rencontrée sur la Côte d'Azur, où il séjournait tous les ans et où elle vivait avec sa mère.

Comment l'a-t-il décidée à suivre dans notre ville brumeuse un homme qui avait trente ans de

plus qu'elle? Personne de la famille ne sait rien à
ce sujet.

Ce que je jurerais, moi, par expérience personnelle, c'est que mon oncle savait qu'elle était nym-
phomane et qu'elle le ferait souffrir. Contrairement à Irène, elle ne se donnait pas aux hommes
parce qu'elle n'y attachait pas d'importance, pour
payer un dîner, une soirée au dancing ou un petit
bijou quelconque. Pour Colette, c'était chaque
fois un drame, dont elle souffrait profondément.

Ne s'est-elle pas raccrochée à un homme qui
aurait pu être son père en espérant qu'il la sauve-
rait? Il la comprenait. Il l'aidait. Je suis sûr que
c'est grâce à lui et à son indulgence qu'elle a eu,
après tout, une existence presque normale. Il
jouait en quelque sorte le rôle de garde-fou.

Antoine, comme moi, a dû attendre des soirées,
des nuits entières, se demandant si, cette fois,
« elle » reviendrait. Il a tressailli au bruit de la
porte, aux pas dans l'escalier, s'efforçant de donner
à son visage une expression sereine.

Contrairement à moi, pourtant, il a espéré la
guérir. Pour ma part, je n'ai caressé cet espoir que
quelques mois, que dis-je? quelques semaines!

— Encore, Irène? disais-je, au début, d'une
voix un peu voilée.

— Quoi? Qu'est-ce que j'ai fait? Qu'est-ce
que tu me reproches?

— Tu le sais, non?

Il lui arrivait de se fâcher, de se laisser aller à la révolte.

— Si c'était pour m'enfermer entre quatre murs, à t'attendre toute la journée, il ne fallait pas m'épouser.

Que répondre? Elle avait raison et je me montrais plus doux, plus tendre avec elle. J'ai essayé d'être gai, de la conduire dans les endroits qu'elle aimait. Elle sentait que je n'y étais pas à ma place. Elle me connaissait trop bien.

Et puis! je suis obligé de l'ajouter, elle avait envie de tout ce qu'elle voyait. Elle a eu envie d'une bonne, d'abord, car elle détestait faire le ménage. Qui faisait le ménage, chez elle? Personne, vraisemblablement. On vivait à la va-comme-je-te-pousse, dans une sorte de taudis, mangeant n'importe quoi, de la charcuterie le plus souvent, sur un bout de table.

Allais-je lui apprendre à cuisiner, à faire un lit, à équilibrer un modeste budget? J'ai essayé, naïvement. Pendant des années, en rentrant, je faisais la vaisselle et comptais le linge pour la blanchisserie.

Je l'aime. J'aime son petit visage qui prend si facilement une expression boudeuse et j'aime aussi son corps, même si elle se contente de me l'abandonner avec indifférence. J'aime sa paresse, sa veulerie, sa vie quasi animale ou infantile. J'ai besoin de la sentir chez moi, de la retrouver ou de l'attendre, de guetter son humeur dans le pli de ses lèvres.

Quoi que les gens disent, nous formons un couple, en dépit de Macherin et des autres, et, si j'ai accepté Macherin, si j'ai fini par m'y habituer, c'est pour éviter de la perdre.

Elle avait besoin d'une auto, d'un manteau de fourrure, de tout un luxe assez vulgaire de femme entretenue dans lequel elle trouve son climat.

Moi aussi, la veille, dans mon lit, écoutant sa respiration régulière, je me suis posé la question :

— Et si j'héritais vraiment ?

Un moment, je me suis bercé d'illusions. N'aurais-je pas enfin Irène pour moi seul ?

J'ai essayé de nous imaginer en tête à tête, sans mes cours aux Beaux-Arts, un tête-à-tête de presque toutes les heures, et j'ai compris que ma femme ne le supporterait pas.

Je me demande si Nicolas ne lui est pas aussi nécessaire que moi, dans un autre sens. A cause de son âge, de sa fortune, de son importance sociale, il représente pour elle l'autorité. Sans aller jusqu'à prétendre qu'elle en a peur, il est certain qu'il l'impressionne. Elle s'en irrite comme, si elle avait eu un père, elle se serait hérissée contre lui.

Il m'arrive d'assister à des révoltes souterraines qui amusent Nicolas et qu'il se complaît à provoquer.

Il n'en constitue pas moins un frein, même si Irène éprouve le besoin de le tromper. Moi, je ne freine plus rien. Je suis le compagnon, presque le complice, celui qu'on est sûr de retrouver quoi qu'il advienne et dont on sait qu'il ne posera pas de questions, qu'il comprendra sans se donner l'air de comprendre.

— Ce serait drôle que nous devenions riches tout à coup !

Et je sentais qu'elle en était troublée, que ce n'était pas seulement une perspective joyeuse, que, pour elle aussi, cela posait des questions insolubles.

— Madame est servie, venait annoncer Adèle de sa voix indifférente.

Quand j'ai téléphoné chez mon frère, peu après le déjeuner, sa femme m'a répondu qu'il était au journal.

— Tu te sers de la voiture ? ai-je demandé à Irène.

Maussade, elle a regardé les vitres ruisselantes de pluie et a fini par soupirer :

— J'irai peut-être au cinéma. Qu'est-ce qu'on peut faire par un temps pareil ?

J'ai pris le tram. Rue Vineuse, j'ai pénétré dans le hall vieillot, mal éclairé, du *Nouvelliste* où deux guichets sont surmontés des mots « Petites Annon-

ces » et « Abonnements ». Dans les vitrines qui
occupent deux pans de mur, parmi des armées en
marche et des chefs d'État descendant d'avion,
j'ai aperçu des photographies de mon oncle
prises à l'occasion de quelques cérémonies offi-
cielles.

Il y avait aussi un portrait de lui en première
page du journal et, sur trois colonnes, un article
nécrologique signé par le rédacteur en chef.

Il est difficile de trouver le bureau de mon frère,
près de l'atelier des linotypes. Il faut franchir des
couloirs étroits, gravir un escalier, traverser plusieurs pièces où s'entassent des paquets de vieux
journaux. Je n'ai rencontré qu'une dactylo qui
louchait et qui, au-delà d'une imposte, m'a désigné
l'atelier.

Lucien y était, en bras de chemise, penché sur
les formes, avec le metteur en pages. Les linotypes
cliquetaient et il régnait une lourde odeur de
plomb fondu. Je n'avais jamais vu Lucien avec
des lunettes. J'ignorais qu'il en porte pour travailler, des lunettes d'un ancien modèle, à monture
d'acier. Il m'a accueilli avec surprise, sinon avec
inquiétude.

— Tu veux me parler ?

— J'ai tout le temps.

— Je suis à toi dans une dizaine de minutes...
Si tu veux m'attendre dans mon bureau...

J'ai préféré rôder dans l'atelier. C'est le décor

de Lucien, comme la classe des Beaux-Arts, avec ses marbres blêmes et ses élèves en blouse, constitue le mien. J'étais émerveillé de le voir lire les lignes de plomb à l'envers, retirer avec des pinces, d'un geste adroit, celles qu'il faisait sauter et qu'il remplaçait par d'autres.

Ici, pour ceux qui travaillaient autour de lui, Lucien était un personnage. On reconnaissait sa valeur professionnelle, son habileté. Cela m'a rendu morose. Chacun n'a-t-il pas besoin de sentir son importance dans un domaine quelconque, si modeste soit-il ? Cette satisfaction me manque. Mes élèves ne me prennent pas au sérieux et grimacent derrière mon dos. Les autres professeurs n'ignorent pas que je dois ma place à des protections. La famille me méprise ou me plaint, y compris ma mère et il n'y a, en définitive, qu'Irène pour qui je compte un peu.

Peut-être beaucoup ? Elle serait sûrement désorientée si je venais à disparaître. Cela ne serait pourtant pas un vrai désespoir. Tout à l'heure, en mangeant, elle a désigné le journal annonçant les obsèques de mon oncle et m'a demandé :

— Tu crois que je dois me mettre en deuil ? Je n'ai pas de manteau noir.

— Tu porteras ton vison.

— Je parie que ta mère et tes tantes auront le voile.

Je la sentais tentée d'en porter un aussi, pour

voir comment le crêpe lui va, un peu comme on se déguise.

J'ai suivi Lucien dans son bureau, où il semblait s'attendre à ce que je lui parle. Je lui ai montré la dactylo et il a hésité à la faire sortir.

— Allons prendre un café en face, a-t-il fini par décider en enfilant son veston. Si on me demande, Geneviève, dites que je reviens tout de suite.

Le café à l'ancienne mode, aux banquettes de moleskine et aux miroirs qui font le tour des deux salles, est un café d'habitués où je ne me rappelle pas avoir mis les pieds. Il était presque vide. Deux hommes qui avaient retiré leur veston tournaient lentement, solennellement autour du billard et l'un d'eux, un commissaire de police, est venu serrer la main de mon frère. Celui-ci a commandé un café. J'en avais déjà pris à la maison et je me suis fait servir une fine, ce qui a paru surprendre Lucien.

Intrigué, mal à l'aise, il me regardait comme s'il essayait de deviner ce que cachait ma visite inopinée.

Dès que nous avons été seuls, je me suis jeté à l'eau.

— J'ai vu Marie.

Il s'y attendait.

— Elle est allée chez toi?

— Non. Je l'ai rencontrée ce matin au cimetière.

— Avec Philippe ?

— Elle était seule.

Il comprenait déjà, connaissant mieux que moi Marie et ses habitudes, que ce n'était pas une rencontre fortuite.

— Pourquoi est-ce à toi qu'elle s'adresse ? questionna-t-il avec une pointe de rancune.

— Parce qu'elle n'osait pas aller te trouver.

— Elle sait que tu es ici ? Elle t'a envoyé ?

— Oui.

Il y eut un silence pendant lequel on entendait les billes s'entrechoquer sous la lampe à abat-jour vert qui éclairait le billard.

— Que t'a-t-elle chargé de me dire ?

J'ai rarement senti aussi nettement à quel point mon frère et moi étions étrangers. Même sa voix, que j'avais entendue chaque jour pendant toute ma jeunesse, sonnait à mon oreille comme celle de n'importe quel inconnu. Je regardais son profil et n'y reconnaissais aucun de mes traits. Il restait calme en apparence. Son agitation, si agitation il y avait, était intérieure.

— Tu sais qu'il est chez elle, n'est-ce pas ?

— Oui.

— Il paraît qu'il est très malade, que ce n'est plus que l'ombre d'un homme.

Ses doigts pianotaient sur la table et je découvrais des touffes de poils roussâtres à chaque phalange.

— Ensuite ? questionnait-il sèchement.

— Elle l'a mis au lit dans une chambre du premier.

— Et Philippe ?

— Philippe ne l'a pas encore vu.

— Il est au courant ?

— Oui.

— Quelle a été sa réaction ?

— Elle compte le familiariser petit à petit avec cette idée...

— Quelle idée ?

— Que son père est revenu.

— Elle envisage de le garder ?

— Écoute, Lucien ! Ta façon de poser les questions rend ma tâche difficile. J'ai promis à Marie de plaider pour elle.

— Au cimetière ?

— En face, dans un café où nous nous sommes réfugiés. Elle fait front, bravement, à la situation. Tu sais fort bien que, malgré tout, elle n'a pas cessé de l'aimer.

— Elle te l'a dit ?

— Oui. Et elle m'a répété deux ou trois fois qu'un homme ne peut pas payer toute sa vie, qu'un moment arrive où il est quitte. Édouard est au bout de son rouleau.

— C'est pour cela qu'il est revenu ?

Le ton, encore que sourd, était si agressif que je ne pus m'empêcher de riposter :

— Il me semble que tu oublies la charité chrétienne...

— Le Christ a dit : *Malheur à celui par qui le scandale arrive...*

— Je sais : *Si ton œil est un sujet de scandale, arrache-le et jette-le loin de toi...* Mais il n'a pas ordonné d'arracher l'œil des autres!

Lucien m'a regardé avec surprise, comme si, de son côté, il découvrait en moi un homme qu'il ne connaissait pas. Il est resté un bon moment silencieux, à fixer le billard.

— Tu te rends compte de la menace qu'il représente ? a-t-il fini par soupirer.

— Pour qui ?

— D'abord pour Philippe. Ce garçon a beau avoir appris sur son père tout ce qu'on a bien voulu lui raconter, ce n'est pas la même chose que de le voir en chair et en os, de mesurer sa déchéance, de vivre à ses côtés.

— Philippe est presque un homme.

— Quant à Marie, elle est parvenue, tant bien que mal, à organiser son existence et à cicatriser ses plaies. Qu'arrivera-t-il dans un mois, dans six mois, dans un an, quand Édouard aura repris du poil de la bête ? Il ne restera pas éternellement dans son lit. Il ne se contentera pas de vivre chez elle sans rien faire. A peine sur pied, tu verras qu'il voudra porter beau, se montrer, échafauder des projets mirifiques.

— Qu'est-ce que nous pouvons y faire?

Je me risquai à ajouter ironiquement :

— Le tuer? Certes, cela vaudrait mieux pour tout le monde...

— Tais-toi! Qu'est-ce que tu es chargé de me demander exactement?

— C'est vis-à-vis de toi qu'il est le plus coupable. C'est donc toi qui es censé lui en vouloir davantage...

Mon frère m'impressionnait, car il me regardait fixement comme si ce n'était pas moi qu'il voyait, mais le mari de Marie.

— Continue...

— Si tu faisais un geste...

— Quel geste?

Sa voix, sans timbre, paraissait venir de très loin.

— Marie se demande si tu ne pourrais pas aller le voir, lui pardonner...

Je commençais à regretter de m'être chargé de cette mission. Mon frère gardait extérieurement son impassibilité. Ses mains s'étaient immobilisées sur la table. Pas un trait de son visage ne bougeait. Mais je ne crois pas avoir auparavant senti aussi bien l'effort quasi inhumain d'un homme pour se maîtriser.

Je devinais des sentiments d'une violence que je n'avais pas soupçonnée et qui me remuaient d'autant plus qu'il parvenait à les contenir.

Il eut de la peine à articuler, comme si ses mâchoires eussent cessé de lui obéir.

— Elle t'a vraiment demandé ça?

Je fis oui de la tête.

— Que j'aille lui serrer la main?

Je n'osais plus le regarder et je souhaitais que le commissaire de police vienne nous interrompre.

— Afin, sans doute, que samedi, en tant qu'aîné des Huet, il puisse mener le deuil?

Moi aussi, le matin, j'y avais pensé, et Marie n'avais pas osé me contredire. Nous savions tous. Aucun de nous ne se berçait d'illusion. Mais Marie, elle, continuait à l'aimer. Et c'était à Lucien qu'on demandait le plus dur effort.

— Il compte assister à l'enterrement?

— J'ai cru le comprendre.

— Marie le désire?

Je hochai à nouveau la tête.

— Tu n'en as parlé à personne d'autre?

— Non.

— Tu n'as pas vu maman? Elle n'est pas au courant?

— Elle ignore tout.

J'ai poussé malgré moi un long soupir, comme si le plus pénible était passé. Ce n'était plus désormais qu'une affaire entre Lucien et sa conscience, entre Lucien et sa foi. Il avait la chance de croire en Dieu. Cela l'aidait-il dans un moment comme celui-ci?

Nous avons gardé le silence pendant près de cinq minutes. C'était un endroit inattendu pour prendre une décision aussi grave. Mais peut-être, justement, valait-il mieux se trouver sous le regard d'étrangers ?

Il me semblait qu'en face de moi Lucien se détendait lentement. Sa main a fini par chercher sa pipe dans sa poche et il s'est mis à la bourrer. Quand j'ai levé les yeux vers lui, son visage était comme déformé. De blafard qu'il était tout à l'heure, il était devenu très rouge ; les traits étaient plus flous, brouillés, les yeux proéminents.

— J'irai la voir, balbutia-t-il enfin.

Je n'avais pas besoin de lui demander s'il verrait Édouard aussi. Du moment qu'il acceptait de se rendre rue des Vergers, il irait jusqu'au bout.

J'avais des remords. Je venais d'infliger la torture à un homme qui était mon frère sans seulement savoir au nom de quoi j'avais agi. Lui que j'avais cru sans problèmes et sans tentations, je venais de le découvrir vulnérable, et, pendant un instant au moins, capable de tous les déchaînements.

A son corps défendant, il m'en voudrait à jamais de ces minutes passées près du billard. J'avais beau n'être qu'un intermédiaire, c'est à moi, non à Marie, qu'il penserait chaque fois qu'il évoquerait ce drame de conscience.

Comme s'il était possible de lui changer les idées, je lançai :

— A propos, j'ai vu, ce matin, en passant quai Notre-Dame, qu'on était en train d'installer une chapelle ardente.

Il a fait un vague signe d'assentiment.

— Le corps est de retour dans la maison?

— Oui.

— Qui le garde?

— Il y a deux religieuses en permanence. Elles se relayeront jusqu'au jour de l'enterrement.

— Où l'a-t-on mis?

— Dans le petit salon du rez-de-chaussée, celui où il n'y a pas de scellés.

— Tu y es allé?

— A midi.

— Il vient du monde?

Si les questions l'agaçaient visiblement, il y répondait et c'était tout ce que je voulais.

— Quelques avocats, des voisins, des juges...

— Tu n'as pas eu trop de mal à obtenir des obsèques religieuses?

— Pourquoi me fais-tu parler?

— Parce que c'est toi qui t'es chargé de tout ça! Je ne sais même pas ce que Colette est devenue.

— Elle est chez elle, avec une garde de jour et une garde de nuit.

— Couchée?

— Non. Elle va et vient au second étage. Elle

a fait venir la couturière pour lui commander des
vêtements de deuil.

— Et Floriau?

— Il a passé la soirée d'hier et une partie de
la matinée d'aujourd'hui avec elle. C'est tout ce
que tu veux savoir? Je dois retourner au journal...

Il allait se lever quand je l'ai retenu, sans réfléchir, parce que des mots me venaient naturellement aux lèvres:

— Lucien!

— Oui?

— Je t'aime bien. Je suis content que tu sois
mon frère.

Il m'a regardé, surpris, désorienté, car il ne s'attendait pas à cette phrase.

— Pourquoi dis-tu ça?

— Parce que je viens de le penser. Pour la première fois, j'ai senti vraiment que j'ai un frère...

Il a souri, d'un sourire maladroit.

— Imbécile! a-t-il grommelé, ému, en me tendant la main.

Il a ajouté, déjà tourné vers la porte:

— J'ai ma mise en pages à terminer...

Il a salué le commissaire au passage, relevé le
col de son veston noir mal coupé et foncé vers
le trottoir d'en face pour s'engouffrer dans le
hall du *Nouvelliste*.

Je n'avais rien à faire. La vie quotidienne ne
reprendrait complètement que le lendemain. Les

boutiques commençaient à allumer leurs lampes et les passants, sur les trottoirs, formaient une procession désordonnée que recouvraient des vagues de parapluies.

Si j'avais su à quel cinéma Irène s'était rendue, je l'y aurais rejointe. J'ai failli téléphoner à la maison pour demander si elle était déjà partie et, sinon, pour lui donner rendez-vous en ville.

Par je ne sais quelle magie, je venais, pendant quelques instants, d'avoir un contact humain, si furtif fût-il, et j'aurais aimé garder cette chaleur que j'avais sentie en moi.

J'étais toujours attablé, seul, dans un café paisible, devant deux joueurs de billard qui m'observaient à la dérobée, et j'ai fini par faire signe au garçon de me servir un second verre.

J'ai échafaudé des projets ridicules pour mon après-midi, comme d'aller m'asseoir un moment dans la cuisine de ma mère, afin de voir quelqu'un, d'entendre une voix s'adresser à moi. Mais ma mère aurait fini par me tirer les vers du nez et Dieu sait quelle tempête elle aurait déchaînée.

Rendre visite à qui ? A personne! Personne ne m'attendait. Partout, on m'aurait accueilli en se demandant ce que je venais faire. Il pleuvait trop fort pour me promener par les rues en regardant les vitrines.

C'était bien la ville de mon enfance, de mon adolescence, où la vie était bouchée de tous les côtés et où il ne restait que la ressource de bercer son ennui.

J'ai fini par aller quai Notre-Dame « voir » mon oncle Antoine dont le visage énigmatique est entouré maintenant d'un cadre solennel. J'ai trempé le brin de buis dans l'eau bénite, tracé une croix au-dessus du corps rigide, adressé un salut silencieux aux deux religieuses agenouillées.

Je n'ai pas aperçu François. Je ne me suis pas permis de monter au premier, ni de demander à voir ma tante.

Quand je me suis retrouvé dehors, la nuit était tombée et, tenant mon parapluie comme un bouclier, j'ai marché le long des maisons.

Plutôt que de rentrer chez moi, j'ai préféré m'asseoir dans l'obscurité d'un cinéma, le premier venu, peut-être celui où se trouvait ma femme. Mes souliers étaient détrempés. Le bas de mon pantalon aussi. Ma voisine suçait des bonbons à la violette et, devant moi, deux amoureux se tenaient joue à joue.

Je me suis surpris à rire, mécaniquement, avec le reste de la salle, car on donnait un film comique, et pourtant je pensais qu'à cette heure-là mon frère Lucien devait arriver rue des Vergers, les pieds mouillés, lui aussi, et sonner à la porte de la maison de Marie.

CHAPITRE VII

LE JOUR DES MORTS
était un jeudi. L'enterrement de l'oncle Antoine,
mort le mardi soir, veille de la Toussaint, aurait
lieu le samedi. Il ne restait plus que le vendredi
à passer et c'était enfin un jour comme les autres,
avec la ville vivant sa vie habituelle, les magasins
ouverts, les employés dans les bureaux, les trams
bondés, la place du Marché bariolée, tout le matin,
de légumes et de fruits.

Le vent était tombé, la pluie plus fine et plus
lente. Dans mon courrier, toujours peu important, j'ai trouvé la convocation du notaire Gauterat pour le lendemain à trois heures et je n'ai pas
pu m'empêcher de me demander si cela signifiait
que je figurais parmi les héritiers.

Je n'ai jamais hérité de ma vie. J'ignore comment cela se passe. Est-ce que toute la famille

Huet est automatiquement convoquée, quelles
que soient les dernières dispositions de mon oncle,
ou ne réunit-on que ceux qui ont quelque chose à
recevoir ?

J'aurais aimé le savoir, mais je ne voyais personne à qui poser la question. Ma mère serait-elle
là aussi ? Et tante Sophie, la mère d'Édouard et
de Monique, qui, à soixante-dix-neuf ans, était
presque aveugle ? Elle vivait en bordure de la
ville, dans le quartier du Grand-Vert, plus loin
que le dernier arrêt du tram, et il y avait au moins
cinq ans que je ne l'avais vue. Elle touchait la
pension d'invalide de guerre de son mari qui, je
l'ai dit, a été gazé en 1917, plus sa pension de chef
de bureau, et Monique lui portait de temps en temps
des douceurs.

Je ne suis pas intéressé, je le jure, et ce n'était
pas tant à cause du testament que je devenais
fébrile à mesure que le samedi approchait. Je me
sentais dans le même état d'esprit qu'enfant à
la veille d'une cérémonie, de la distribution des
prix, des vacances ou de Noël.

L'enterrement de mon oncle Antoine prenait à
mes yeux une importance considérable et je suis
persuadé que je n'étais pas le seul dans mon cas,
qu'il y avait des allées et venues, des conciliabules,
que les unes se faisaient faire une robe, les uns un
costume cependant que les plus âgés retiraient
des malles ou des coffres d'anciens voiles de deuil.

Nous n'avions pas vu le même film, la veille, Irène et moi, et ma femme m'a regardé drôlement quand je lui ai dit que j'étais allé au cinéma, car elle sait que ce n'est pas mon habitude.

Je me demande si elle n'est pas inquiète de ce qui se passerait si j'héritais d'une partie de la fortune. Se figure-t-elle que je serais tenté de me créer une vie personnelle, peut-être de la quitter, de divorcer, de l'abandonner à Nicolas qui s'en trouverait bien embarrassé?

Je me fais probablement des idées. Ces événements, peu terribles, après tout, comme il s'en produit chaque jour, comme la plupart des familles en connaissent à un moment ou à un autre, m'ont rendu hypersensible et je me laisse affecter par de menus faits qui, en d'autres temps, me trouveraient indifférent.

Je suis allé aux Beaux-Arts, en tram, comme d'habitude, car je n'oserais pas m'y rendre en voiture, surtout dans une voiture bleu ciel. J'ai donné mon cours du matin, qui consiste surtout à aller de chevalet en chevalet, à prendre le fusain des mains d'un ou d'une élève, à souligner un trait, à rectifier une ombre.

Cela se passe en silence. Il existe deux sortes de professeurs : ceux qui parlent et plaisantent volontiers afin d'obtenir des sourires ou des rires et ceux qui ne laissent tomber qu'un mot de temps en temps.

Par timidité, par crainte d'un chahut que je serais incapable de maîtriser, je suis de ceux-ci et je passe pour solennel, je n'ignore pas que mes élèves, entre eux, m'appellent le solennel imbécile.

Pour la première fois, ce matin-là, en regardant la classe blanche où on n'entendait que le grincement des fusains sur le papier granuleux, j'ai envisagé la possibilité d'une existence qui ne serait plus réglée par la routine professionnelle ; j'ai vu la classe comme si je ne devais pas y revenir et, contre mon attente, au lieu d'éprouver par avance un sentiment de délivrance, je me suis senti pris de panique.

Quelques jours plus tôt, je considérais encore mon travail comme une obligation, une tâche morne et presque dégradante. Ce n'étaient pas seulement les bâtiments des Beaux-Arts, l'espace qui m'y était assigné, les visages de mes élèves qui m'inspiraient du ressentiment, mais le tram que je prenais quatre fois par jour, les rues que je voyais défiler, les magasins, les passants, c'était la ville dans laquelle, dès mon enfance, je m'étais senti prisonnier.

Or, il se présentait peut-être, tout à coup, une occasion de partir. Je n'y pensais pas comme à une probabilité mais comme, en achetant un billet de loterie, on prévoit, par jeu, l'emploi qu'on ferait du gros lot.

Au lieu de me réjouir, cela m'a effrayé et j'ai

soudain eu conscience ce vendredi-là, d'appartenir à ma classe des Beaux-Arts et à ma ville.

A midi, j'ai trouvée Irène tout habillée, ce qui est rare, et son manteau, encore pendu dans l'antichambre, indiquait qu'elle venait de rentrer.

— Je suis allée voir ton oncle, m'a-t-elle annoncé. J'en avais envie depuis hier. Je ne t'en ai pas parlé, par crainte que tu me répondes que cela ne se fait pas.

— Pourquoi cela ne se ferait-il pas?

— Je ne sais pas. Je n'ai jamais vu un mort. J'ignore comment ces choses-là se passent.

Si je ne me trompe, Irène ne m'a accompagné que deux fois quai Notre-Dame. Non pas parce que mon oncle ne l'aimait pas. Je crois, au contraire, qu'elle l'amusait. Ce sont les occasions qui ont manqué. On n'allait pas là en famille. On rendait des visites individuelles, dans le bureau.

— Je me demande comment ils pouvaient vivre à deux dans cette grande maison lugubre! Je comprends à présent que Colette soit devenue à moitié folle. Moi, je le serais tout à fait.

— Qui as-tu vu?

— D'abord, deux religieuses agenouillées sur des prie-Dieu de chaque côté du corps et qui récitaient leur chapelet. Elles ne m'ont même pas regardée. Une femme d'une quarantaine d'années est arrivée avec trois enfants, deux garçons et une fille, et tous les quatre ont jeté de l'eau bénite.

J'avais oublié de le faire. Je l'ai fait en sortant, afin que les bonnes sœurs ne se figurent pas que je ne sais pas vivre.

— Il est dans le cercueil ?

— Non. Quand je suis partie, on apportait un cercueil très lourd, couvert d'ornements de métal. On dirait de l'argent. Tu crois que cela en est ?

— Je ne le pense pas.

— Qu'est-ce que je fais demain ?

— Tu iras directement à la cathédrale et prendras place avec mes tantes et mes cousines au premier rang.

— Qui est-ce, la femme avec ses enfants ?

— Elle est grande, assez forte ?

— Oui.

— Alors, c'est presque sûrement une des filles de tante Juliette. J'ignore le nom de son mari. Je l'ai vue une seule fois, il y a des années.

— Tu es sûr que je ne dois pas mettre le voile ?

— Ma mère et mes tantes en porteront peut-être, mais pas les jeunes.

J'ai encore passé l'après-midi aux Beaux-Arts et, mon cours fini, je suis allé prévenir le directeur que je devrais m'absenter le lendemain.

— Je sais ! Je sais ! s'est-il empressé de dire. Je serai moi-même à l'enterrement. L'église sera pleine.

Pour la première fois, il m'a regardé avec un

certain respect, en tout cas avec une considéra-
tion qu'il ne m'accordait pas d'habitude.

J'ignore ce qui s'est passé rue des Vergers. Lucien ne m'a téléphoné ni hier au soir, ni aujour-
d'hui, et je n'ai pas osé l'appeler. Marie ne m'a
pas donné signe de vie non plus. Le seul moyen
d'avoir des nouvelles serait de passer chez ma mère,
qui est certainement au courant, mais je préfère
éviter cette démarche qu'elle interpréterait Dieu
sait comment.

Je n'ai pas de nouvelles de Monique et de son
mari non plus, ni, à plus forte raison, de tante
Colette.

En somme, c'est un peu comme si chacun se
préparait dans son coin.

Normalement, comme tous les vendredis, Nicolas aurait dû dîner à la maison. Ma femme m'annonce qu'il s'est décommandé, sous prétexte d'un
rendez-vous d'affaires, ce qui est délicat de sa
part et ne va pas sans m'étonner un peu.

Irène a passé la soirée à donner de l'aisance à
sa robe de drap noir qui lui collait trop à la poitrine pour qu'elle pût se montrer ainsi à la cathédrale, surtout à l'occasion d'un enterrement.

— Je suppose que je me maquille quand même
un peu ?

— Discrètement.

J'ai lu, j'ai pris la radio, puis la télévision, nerveux, pressé de me coucher pour en finir et être

plus vite au lendemain. J'ai mis longtemps à m'endormir. Irène aussi, à qui je communiquais sans
le vouloir mon impatience.

Le matin, je me suis coupé en me rasant. Mon
premier soin avait été de regarder le ciel toujours
gris, mais d'un gris presque blanc, avec une légère
luminosité. Il ne pleut plus. Les pas sonnent net
sur les pavés.

On pourrait croire que je suis l'ordonnateur
de la cérémonie et que je m'inquiète de sa réussite.
Il n'en est rien, bien sûr. Malgré moi, je n'en suis
pas moins sensible à des tas de détails comme s'ils
me concernaient personnellement.

— Tu pars le premier ?

— Oui. Les hommes doivent se trouver dans
la chapelle ardente pour le défilé et pour la levée
du corps.

— Et Colette ?

— Je ne sais pas ce qu'elle fera.

— Tu es sûr que les femmes ne vont pas au
cimetière ?

— Pas les femmes de la famille.

— Et les autres ?

— Il y en aura peut-être. Il paraît qu'on a commandé une vingtaine de voitures.

Je suis parti à pied, j'ai traversé le Jardin Botanique où, pour justifier son appellation, on a planté
des plaques de métal au pied des arbres avec le
nom vulgaire et le nom latin de chaque essence.

Il y avait déjà quelques groupes quai Notre-Dame, les uns immobiles, les autres qui allaient et venaient en regardant parfois les fenêtres de la maison.

Je n'ai reconnu aucun visage. C'étaient surtout, je suppose, de petites gens qui connaissaient mon oncle, et aussi des curieux.

J'ai pénétré sous la voûte, gravi les marches de marbre et, dans le hall, je me suis trouvé en face de mon frère Lucien qui parlait à voix basse à Floriau. Tous les deux étaient en noir des pieds à la tête, comme moi, et, je me demande pourquoi, nous avions l'air mieux rasés que les autres jours.

J'ai jeté un coup d'œil dans la chambre mortuaire. Outre les religieuses, deux hommes se tenaient debout au pied du cercueil, aussi grands et forts l'un que l'autre, l'un des deux avec une moustache épaisse. Leur chapeau à la main, ils observaient notre groupe avec des yeux inexpressifs.

C'étaient les gendres de tante Juliette. Son fils n'est arrivé qu'un peu plus tard et les a rejoints après nous avoir serré la main sans mot dire.

Toute la journée, ils allaient former ainsi un clan à part, trois hommes plus drus, plus plébéiens que nous, trois visages têtus qui nous dévisageaient avec une réprobation muette.

Le monde de tante Juliette, le monde des Lemoine ne s'est jamais autant révélé différent du nôtre et je n'ai pas cessé de sentir l'hostilité latente entre les deux branches de la famille. Malgré leur mère, ils n'étaient pas des Huet. Ils le sentaient et se groupaient comme pour former un front solide.

— Il est temps... a murmuré Floriau en consultant sa montre.

Le maître de cérémonie s'approchait de nous au même moment pour nous prier de prendre place dans la chapelle ardente.

Nous étions occupés à nous ranger tant bien que mal le long des tentures, à une certaine distance du cercueil, quand j'ai ressenti un choc. Édouard entrait, un peu essoufflé, vêtu de noir, lui aussi, et, sans un mot, sans un signe aux autres, occupait la place la plus proche de la porte.

Son complet, son manteau étaient bien coupés et malgré sa maigreur, malgré le cerne de ses yeux, c'était lui qui portait le plus beau de nous tous.

Quand nous étions jeunes, il nous arrivait de l'appeler le mousquetaire. Or, il avait laissé pousser une fine moustache qui le faisait ressembler davantage à un d'Artagnan mâtiné d'Aramis.

Des gens commençaient à défiler, qui nous saluaient discrètement au passage en contournant le cercueil pour aller attendre ensuite sur le trottoir. Floriau se montrait impatient et j'ai compris pourquoi lorsque je l'ai vu sortir d'un pas rapide pour revenir presque aussitôt en compagnie d'une Colette en grand deuil.

Nous n'étions éclairés que par la flamme dan-
sante des bougies et les fleurs qui s'amoncelaient
jusqu'au pied de l'escalier de marbre répandaient
une odeur entêtante.

Floriau avait conduit ma tante jusqu'au pied
du cercueil, un peu en retrait, et restait près d'elle
comme un chevalier servant. A cause du voile, je
ne distinguais pas les traits de Colette, mais la
lueur des bougies mettait parfois un éclat dans
ses yeux sombres.

On devait avoir donné, dehors, une sorte de
signal car, à présent, défilait devant nous une
procession lente dans laquelle on reconnaissait des
personnages importants, le préfet, le maire, le
président du tribunal, des avocats, des hommes
politiques...

Ont-ils tous remarqué la présence d'Édouard?
Il est probable que non. Il m'a semblé pourtant
que certains, après lui avoir tendu la main sans le
regarder, se raidissaient en découvrant son visage.

On me serrait la main aussi. Le directeur des
Beaux-Arts me l'a serrée plus longuement que les
autres.

Cela a duré une demi-heure et, pas une fois, le
regard de mon frère ne s'est tourné vers le coin
d'Édouard.

Au moment où le maître de cérémonie s'avançait,
suivi des porteurs, on a entendu comme un hoquet.
C'était Colette. J'ai cru un instant qu'elle allait

enfouir son visage dans la poitrine de Floriau,
mais celui-ci l'a saisie délicatement par les épaules
et l'a entraînée hors de la pièce.

Le reste s'est passé dans ce qui m'a paru un
certain désordre. On nous manœuvrait comme des
figurants. J'ai été surpris par la lumière du jour,
par la fraîcheur du dehors. Il y avait autant de
monde, sur les trottoirs, que pour une manifes-
tation patriotique. Je cherchais machinalement à
ne pas être séparé de mon frère.

On chargeait le cercueil dans le corbillard auto-
mobile qu'on recouvrait de fleurs et de couronnes
et je fus poussé au premier rang entre Lucien et
mon cousin Édouard qui ne m'avait pas encore
adressé la parole et qui, les narines pincées, regardait droit devant lui.

Je suis presque sûr d'avoir aperçu Marie parmi
les curieux. Cela ne m'étonnerait pas qu'avant de
se précipiter à l'église elle soit venue s'assurer que
tout allait bien pour son mari.

J'ai cherché Philippe des yeux. Je ne l'avais pas
vu dans la maison. Soit par hasard, soit par
erreur des gens des pompes funèbres, il se trouvait
mêlé au groupe Lemoine où il paraissait perdu.

Est-ce exprès qu'on a placé ceux-ci au second
rang du cortège? S'y sont-ils mis d'eux-mêmes,
pour ne pas être à côté de nous?

Le corbillard a commencé à rouler au pas. Un
enfant de chœur l'a suivi, portant la croix d'argent,

puis le prêtre penché sur son livre de prières.

Nous venions tout de suite après, Édouard, moi, mon frère et Floriau.

Nous n'avions que deux cent cinquante mètres à parcourir, la calme rue de l'Évêché, pour atteindre la cathérale et, en me retournant, bien que des gens se fussent déjà précipités vers l'église pour avoir de la place, j'ai constaté que le cortège emplissait la rue de bout en bout, plus clairsemé vers la fin, avec davantage de femmes et d'enfants.

Encore un moment de confusion sur le parvis. On m'a fait signe d'approcher du cercueil qu'on descendait du corbillard et je me suis trouvé derrière Édouard et devant un gendre de tante Juliette, à tenir un des cordons du poêle. De l'autre côté, je ne voyais que mon frère qui était en tête. Le cercueil me cachait les deux autres.

Les porteurs se sont mis en marche et, à l'instant où nous franchissions le portail et où nous apercevions, dans le chœur, le scintillement des cierges, les grandes orgues se sont déchaînées.

Si je devais donner mon impression dominante de la matinée, je parlerais d'ahurissement, d'hébétude, de dépersonnalisation. Dès le moment où j'avais mis les pieds quai Notre-Dame, je m'étais trouvé, avec les quelques-uns de la famille, sous

les yeux de dizaines, puis de centaines de specta-
teurs, et c'était comme si j'avais à jouer un rôle
au pied levé dans une pièce dont j'ignorais le
texte.

J'ai assisté aux obsèques de mon père, de mon
oncle Fabien, à l'enterrement de voisins et de
connaissances, toujours à des cérémonies simples
et sans faste dans lesquelles chacun sait comment
se comporter.

Mes souvenirs, pour ce matin-là, sont fragmentaires, comme si je n'avais été lucide que par
intermittence.

Nous occupions, nous, les hommes, le premier
rang de la travée droite, Édouard le plus près du
catafalque, puis moi, mon frère, Floriau, et enfin
ceux de chez les Lemoine, cependant que derrière
nous venaient les plus hautes autorités, le préfet,
le sénateur-maire, le tribunal, le bâtonnier, d'autres
encore, qui, tous, arboraient au moins la rosette.
La plupart avaient l'âge de mon oncle Antoine.

Les femmes se trouvaient du côté gauche de la
nef et je devais me pencher pour les apercevoir.
Colette n'était pas venue mais tante Juliette, ma
mère et la pauvre vieille tante Sophie disparai-
saient sous leurs voiles.

Une seule fois pendant la cérémonie j'ai pu
croiser le regard de ma femme qui venait en cin-
quième ou en sixième position et qui m'a désigné le
crêpe de mes tantes et des filles Lemoine pour

me reprocher de ne pas lui en avoir laissé porter.

Contre mon attente, on n'a pas célébré de messe et les chœurs du Conservatoire ont tout de suite chanté un Requiem que j'ai souvent entendu à la radio et qui, si je ne me trompe, est le *Requiem* de Fauré.

Plusieurs chanoines occupaient leurs stalles et j'ai compté six enfants de chœur.

Je n'osais pas me retourner. Il me semble que l'église était aussi pleine que pour la grand-messe du dimanche et on entendait beaucoup de gens tousser, des chaises grincer sur les dalles. A un moment même, comme on entonnait le *De Profundis*, un enfant s'est mis à pleurer et on distinguait, en contrepoint, les pas sonores de la mère qui se hâtait de l'emmener dehors.

A cause de la foule, sans doute, il n'y avait presque pas de mystère. L'émotion, la mienne en tout cas, était une émotion vague, impersonnelle. Cela ressemblait plutôt à de l'accablement. Je me demandais ce que nous faisions là, tous, à suivre des rites que nous comprenions plus ou moins et il me semblait naturel que mon oncle ait décidé de s'en aller.

Je ne cherchais plus les raisons de son geste. Je ne pensais pas à Colette, ni à Floriau dont les lèvres murmuraient machinalement les répons.

J'ai été surpris quand, penché vers moi, Édouard a chuchoté :

— Marie m'a prié de te remercier.

Nous étions si petits, tous, dans la haute nef de la cathédrale où des hommes s'agenouillent depuis cinq cents ans, il y avait tant de monde qui étouffait notre petit groupe qu'il me semblait que la famille s'était délayée.

— *Libera me...* chantait le curé-doyen d'une voix grelottante.

— Je te remercie aussi... ajoutait Édouard.

Un diacre est passé pour l'offrande tandis que les chœurs chantaient à nouveau et que l'odeur d'encens se répandait dans la nef.

Puis cela a été le long piétinement vers la sortie, les voitures qui s'avançaient, des voix qu'on entendait éclater près de soi, dans le grand jour, et qui prononçaient des paroles banales.

Je me suis trouvé dans la première voiture avec mon frère, Édouard et Floriau. Le clan Lemoine suivait dans la seconde avec Philippe qui ne s'en dépêtrait pas. Il n'y a pas eu de véritable conversation. C'est Édouard qui a demandé, en essayant de voir combien de voitures nous suivaient, dans la montée de Corbessière :

— Qui est-ce qui vient au cimetière ?

Et Lucien lui a répondu, ce qui constituait quand même un contact :

— Seulement la famille, des amis intimes, quelques membres du tribunal et du barreau.

J'ai revu en passant le café où, l'avant-veille,

j'avais eu un émouvant entretien avec Marie et j'ai regardé mon cousin Édouard avec émerveillement en pensant au chemin parcouru en deux jours.

Il n'y avait plus trace de l'épave, du clochard, du chien en quête d'un abri et d'une pitance. Il se tenait droit à sa place et ses pommettes creuses, ses yeux brillants lui donnaient encore plus de prestige.

C'est la famille, au cimetière, qui eut l'air de trop et qui se sentit mal à l'aise. Les autres étaient des familiers du défunt, ses pairs. Ils se connaissaient entre eux et s'entretenaient à voix basse tout en nous laissant, comme par décence, les premières places.

Nous avons retrouvé le prêtre et l'enfant de chœur déjà debout près de la tombe. Cela m'a paru se passer très vite et bientôt nous errions par petits groupes en direction de la sortie. Édouard se tenait toujours parmi nous. Son fils l'avait rejoint.

— On se retrouve à trois heures chez le notaire? a-t-il questionné.

— La voiture nous attend pour nous reconduire.

— Nous prenons le tram, Philippe et moi. Nous n'allons pas dans votre direction.

J'ai sauté sur un autre tram, laissant l'auto à Lucien et à Floriau tandis que les hommes de tante Juliette, avant de pénétrer dans la leur, allaient boire un verre au café.

Tout s'est bien passé, en définitive. Il n'y a pas eu d'incident.

— Tout s'est bien passé, n'est-ce pas ?

C'est par ces mots, justement, que ma femme m'a accueilli.

Elle a ajouté :

— J'étais la seule, au premier rang, à ne pas porter le voile.

— Marie n'avait pas de voile non plus, ripostai-je.

— Mais Monique en avait un.

— Comment cela s'est-il terminé, pour les femmes ?

— Nous avons été séparées à la sortie, mêlées à des gens que nous ne connaissons pas. Il n'y avait que Marie à m'avoir suivie. Elle m'a dit qu'elle te serait reconnaissante toute sa vie, puis elle est partie pour préparer son déjeuner. Et vous autres ?

Je ne savais que répondre. Il n'y avait rien à dire. Il ne s'était rien passé. N'était-ce pas justement ce à quoi j'avais travaillé ? Je conservais néanmoins une impression de vide. J'étais déçu. On n'avait même pas eu le temps de penser à l'oncle Antoine.

Seuls des étrangers avaient parlé de lui, surtout au cimetière.

Cela ressemblait à une liquidation à grand spectacle. On s'en était tiré avec des chants, des tentures, des chanoines, toute une riche mise en scène hors de proportion avec les personnages que nous étions.

Nous avons déjeuné en tête à tête, ma femme et moi, servis par Adèle. La veille, Irène avait proposé que nous nous retrouvions dans un restaurant de la ville et j'avais objecté que nous risquions d'y rencontrer d'autres personnes ayant assisté aux obsèques.

— Nerveux? me demanda-t-elle comme nous nous levions de table.

— Pourquoi?

— Encore une heure et tu sauras...

Elle affectait de plaisanter, mais je sentais que l'idée de l'héritage la tracassait, qu'elle s'était mise, comme moi à mon insu, à envisager sérieusement la question.

— Tu peux prendre la voiture. Je ne sors pas.

Pendant près d'une heure, j'ai été nerveux, mal dans ma peau. Puis, à trois heures moins dix, j'ai embrassé ma femme et suis descendu pour sortir l'auto. Lorsque je suis arrivé quai Pasteur, j'ai reconnu la voiture de Floriau devant la maison du notaire. Un clerc m'a fait entrer dans un premier bureau et m'a débarrassé de mon manteau qui a rejoint d'autres pardessus à la patère.

— Par ici...

La pièce était vaste. Des vitraux de couleur, jusqu'à mi-hauteur des fenêtres, y répandaient une lumière particulière. Des femmes en deuil, le voile rejeté en arrière, étaient assises, silencieuses comme dans une antichambre, et ma mère m'a adressé un bonjour discret de la tête.

Tante Sophie était là, assise à côté de son fils Édouard, tante Juliette aussi, avec son fils et ses deux gendres.

Seul Lucien manquait encore et le notaire consultait sa montre avec agacement quand il est entré en balbutiant des excuses.

Tous ceux qui étaient présents avaient-ils été convoqués? Certains étaient-ils venus d'eux-mêmes? Je n'ai pas pu le savoir. Un des clercs apportait des chaises. Maître Gauterat nous lançait un coup d'œil circulaire, comme pour nous compter, s'asseyait, changeait de lunettes, s'éclaircissait la voix.

— Mesdames, messieurs, nous allons procéder à la lecture du testament de feu Antoine-Georges Sébastien Huet, décédé en notre ville le 31 octobre et inhumé ce matin.

Son premier clerc, debout à côté de lui, lui passa une enveloppe cachetée dont il fit sauter la cire à l'aide d'un coupe-papier. Il en retira deux feuillets grand format, tapés à la machine et en commença la lecture sans paraître s'occuper de nous.

Il faisait très chaud dans l'étude et, la nervosité aidant, tout le monde avait le sang à la tête. Des classeurs verts couvraient les murs jusqu'au pla-

fond. Les vitraux y jetaient d'étranges reflets
jaunes, bleus et rouges.

... *et, selon la promesse faite à ma mère...*

Quelques mots surnageaient seuls du murmure.

... *je lègue aux enfants mâles de mes deux frères
Fabien et Clément...*

Nous n'étions pas sûrs de comprendre, n'osions
ni bouger ni nous regarder. Chacun, je crois,
avait choisi un point de l'espace qu'il fixait avec
application en s'efforçant de ne pas trahir ses
émotions.

... *mes biens meubles et immeubles consistant en...*

Ma mère remua les pieds. Tante Sophie se
pencha vers elle et je devinai qu'elle lui demandait :

— Qu'est-ce qu'il dit ?

Il a été question ensuite d'une rente viagère
pour François, d'un legs pour Mlle Jeanne Chambovet, célibataire, habitant...

Les formules succédaient aux formules, les
termes juridiques aux termes juridiques et, en fin
de compte, aucun de nous ne savait exactement
quelles étaient les dispositions testamentaires de
mon oncle.

La lecture terminée, le notaire nous regarda par-
dessus ses verres.

— Quelqu'un a-t-il l'intention de contester le
testament ?

Tante Juliette prit la parole.

— Si je comprends bien, ce sont les neveux Huet qui héritent ?

— Les fils de Fabien et de Clément, à savoir...

Il se penchait sur ses notes :

— Édouard, Blaise et Lucien Huet.

— Et moi ?

— Il vous lègue les bijoux de sa mère ainsi qu'un certain nombre d'objets que j'ai cités.

— Et mon fils, mes filles ?

— Ils ne figurent pas dans le testament.

— Vous trouvez que c'est juste ?

— Faute d'héritiers au premier degré, le testataire avait le droit de disposer de ses biens à son gré. Il vous reste, si vous le désirez, à intenter une action en...

Sans le laisser finir, elle se levait. Son fils et ses gendres se levaient en même temps et la suivaient vers la porte. Là, elle s'est arrêtée un instant, s'est retournée comme pour lancer une invective, mais, trop indignée pour parler, elle a préféré sortir.

Ma mère a demandé alors d'une voix timide :

— La pauvre Colette ne reçoit rien ?

— Je puis vous rassurer en ce qui la concerne. Le défunt a pris ses dispositions par ailleurs, depuis longtemps, et elle recevra, d'une compagnie d'assurances, une rente importante.

— Cela n'aurait pas été juste... commentait ma mère.

Et tante Sophie, penchée sur elle :

— Édouard hérite ? C'est sûr ?

— Mais oui, Sophie.

La vieille femme, rassurée et contente, reprenait son immobilité silencieuse.

— Personne n'a de question à poser ? répétait Maître Gauterat.

On aurait pu croire, tant il était sec et dédaigneux, qu'il allait frapper le bureau de son coupe-papier pour déclarer :

— Adjugé !

Nous n'osions toujours pas nous regarder, gênés de ce qui nous arrivait, gênés de profiter de la mort de notre oncle.

— Il me reste à vous avertir que les formalités de succession seront assez longues et que la vente de l'immeuble du quai Notre-Dame s'annonce d'ores et déjà comme difficile. Autant que je peux en juger, l'actif, en comptant un prix moyen pour cet immeuble, s'élève à environ cent cinquante millions d'anciens francs. Les taxes et les frais en prendront plus des deux tiers et j'évalue grosso modo à une quarantaine de millions la somme à partager entre les trois héritiers.

C'était dit avec condescendance, sinon avec ironie. Il semblait à la fois vouloir nous rassurer et nous mettre en garde contre des espoirs exagérés.

Ma mère n'a pu s'empêcher, elle, de pousser un soupir émerveillé et elle a tout de suite regardé Lucien avec l'air de dire :

— Enfin! Je suis si contente pour toi!

Floriau n'a pas bronché. Je pense que cela a été un choc pour lui de voir sa femme exclue de la succession. Mon oncle Antoine n'a rien voulu laisser qu'à de vrais Huet.

— Monsieur Édouard Huet, acceptez-vous l'héritage aux termes du testament dont je viens de donner lecture?

Tout comme au tribunal on dit « Je jure », mon cousin prononçait :

— J'accepte.

— Veuillez signer ici... Monsieur Blaise Huet!...

— J'accepte, murmurai-je en prenant la plume à mon tour.

— Monsieur Lucien Huet...

Les oreilles de mon frère étaient écarlates. Il était si ému en apposant sa signature que j'ai cru qu'il allait éclater en sanglots.

— Messieurs, je vous tiendrai au courant et je vous convoquerai individuellement lorsque le moment sera venu.

On nous a conduits dehors comme, le matin, on nous a conduits hors de l'église. Nous retrouvions nos manteaux, nos chapeaux. Nous nous retrouvions les uns les autres, gênés, sur le trottoir.

— Montez dans ma voiture, maman, dit Floriau en prenant le bras de tante Sophie. Monique vous attend à la maison.

— Tu es sûr que tu n'as rien à faire? Tu ne

crois pas que tu devrais aller voir la pauvre
Colette ?

La famille se dispersait à nouveau et chacun
allait reprendre son existence, plus séparé des
autres que jamais. Moi aussi, j'avais une voiture,
et j'offris à ma mère de la reconduire.

— Non, fils. Tu es bien gentil. J'aime mieux
marcher un peu avec Lucien...

Je restai seul avec Édouard, qui me tendit la
main dans la nuit tombante.

— Au revoir... me dit-il. Encore merci !

Je me sentais plus las qu'après une nuit sans
sommeil, aussi vide qu'après un long voyage en
chemin de fer. Je mis le contact, passai par le quai
Notre-Dame et vis les fenêtres éclairées du second
étage, une ombre qui bougeait derrière le rideau,
celle de Colette ou de la garde.

J'ai retrouvé Irène qui se jouait des disques à
pleine force. Sans arrêter la musique, elle s'est
contentée de me regarder.

— Oui, dis-je simplement.

— Beaucoup ?

— Une quinzaine de millions d'anciens francs
pour chacun. Cela prendra des mois.

— Qui hérite ?

— Édouard, mon frère et moi.

— Pas les autres ?

— Non.

Nous nous entendions à peine et c'est seulement

quand le disque a été fini que j'ai murmuré en reti-
rant mon veston :

— Pour nous, cela ne changera pas grand-chose.

J'étais triste, tout à coup. Pour un peu, je me
serais mis à pleurer. Je n'ai jamais si bien compris
le geste de mon oncle.

CHAPITRE VIII

J'AI RELU, HIER soir, les pages écrites l'automne dernier et j'ai été surpris de l'importance que j'attachais alors à certaines choses. Je croyais vivre des heures mémorables. Je m'attendais à Dieu sait quels changements dans ma vie et dans celle des autres. Qu'est-ce que j'espérais au juste ?

Nicolas a dîné hier à la maison. C'était son jour. Je soupçonne que ce ne le sera plus longtemps, car Irène se montre de plus en plus agacée par tout ce qu'il fait, par tout ce qu'il dit. Depuis trois semaines, elle sort à d'autres heures, de bon matin, par exemple, et, elle qui est si peu sportive, s'est commandé une tenue de golf. Je ne lui pose pas de questions. Je saurai toujours assez tôt.

La seule différence, pour moi, avec avant, c'est que, quand ma femme ne s'en sert pas, j'ose prendre la voiture pour aller à mon cours des Beaux-

Arts. Peut-être, quand la maison aura été vendue
— la vente publique a lieu la semaine prochaine
— m'achèterai-je une auto personnelle, une petite
voiture de série qui n'attire pas l'attention.

Lucien a pris une option sur un terrain à Corbessière, en dehors de la ville, où il compte faire
bâtir et où, comme il dit, ses enfants auront le
bon air.

Je rencontre souvent Édouard en ville et le vois
dans les cafés. Personne ne semble plus s'étonner
de son retour.

Je n'ai revu ma mère qu'au Nouvel An, quand
je suis allé lui présenter mes vœux. Par délica-
tesse, je n'avais pas emmené Irène.

— Ta femme n'est pas avec toi ? a feint de s'é-
tonner ma mère.

Comme je répondais évasivement, elle a murmuré, sans aller jusqu'au bout de sa pensée :

— Je croyais que maintenant...

Elle m'en veut d'avoir hérité et pas elle. Pour
Lucien, elle est contente qu'il ait enfin « une vie
un peu plus facile ».

— Tu sais ce que Colette est devenue ?

— Non.

— Elle est installée dans un appartement ultra-
moderne, non loin de chez toi, où elle peut recevoir les hommes qu'elle veut. Il paraît que Floriau
va la voir plusieurs fois par semaine et que Monique
se fait du mauvais sang.

Si cela a été vrai, ce ne l'est plus, car, en février, Colette est partie pour Nice, où elle compte vivre désormais.

J'ai vu Lucien pour la dernière fois il y a une semaine. J'étais entré seul au Café Moderne. Je l'ai aperçu, au fond de la salle, attablé avec Édouard. Ils étaient très animés. Édouard m'a fait signe de venir m'asseoir à leur table et mon frère a paru gêné.

— Qu'est-ce que tu prends ?

— Un café, dis-je.

— Tu te souviens de mon projet du journal ? Eh bien, il va se réaliser prochainement. Nous sommes en train d'en discuter avec ton frère. J'ai déjà une imprimerie en vue, une installation moderne à laquelle il suffira d'ajouter une rotative...

J'ai regardé Lucien, m'attendant à un démenti qui n'est pas venu.

La vie continue.

Je ne suis resté que quelques minutes avec eux, sentant bien que j'étais de trop, et, mon café bu, je les ai laissés à leurs projets.

Les lampes venaient de s'allumer. J'ai marché le long de la rue de la Cathédrale, puis de la rue des Chartreux, en regardant les mêmes vitrines que quand j'avais seize ans.

FIN

Noland, le 17 novembre 1961.

OUVRAGES DE GEORGES SIMENON
AUX PRESSES DE LA CITÉ (suite)

Achevé d'imprimer en mars 1987
sur les presses de l'Imprimerie Bussière
à Saint-Amand (Cher)

— N° d'édit. 3947. — N° d'imp. 3287. —
Dépôt légal : 2e trimestre 1978.

Imprimé en France